陳振孫研究六種合編

第 14 冊

陳振孫之文學
及其《直齋書錄解題》集錄考證
（第三冊）

何廣棪 著

花木蘭文化出版社

國家圖書館出版品預行編目資料

陳振孫之文學及其《直齋書錄解題》集錄考證（第三冊）／
何廣棪 著 -- 初版 -- 新北市：花木蘭文化出版社，2015〔民
104〕

目 30+142 面；19×26 公分

（陳振孫研究六種合編；第 14 冊）

全套 ISBN 978-986-404-459-7

ISBN-978-986-404-459-7

9 789864 044597

陳振孫研究六種合編
第十四冊　　　　　　　　　全套 ISBN 978-986-404-459-7

陳振孫之文學及其《直齋書錄解題》集錄考證（第三冊）

作　　者	何廣棪
總 編 輯	杜潔祥
編　　輯	許郁翎
出　　版	花木蘭文化出版社
社　　長	高小娟
聯絡地址	235 新北市中和區中安街七二號十三樓
	電話：02-2923-1455／傳眞：02-2923-1452
網　　址	http://www.huamulan.tw 信箱 hml 810518@gmail.com
印　　刷	普羅文化出版廣告事業
初　　版	2015 年 12 月
定　　價	共 17 冊（精裝）新台幣 30,000 元

陳振孫之文學
及其《直齋書錄解題》集錄考證（第三冊）

何廣棪　著

第四冊

別集類下 廣校案：盧校本作卷五十一〈別集類〉下。〈校注〉曰：「有元本。」

演山集六十卷

《演山集》六十卷，端明殿學士延平黃裳冕仲撰。廣校案：《文獻通考》「冕仲」作「勉仲」。

> 廣校案：《宋史》卷二百八、〈志〉第一百六十一、〈藝文〉七、〈別集類〉著錄：「《黃裳集》六十卷。」與此同。裳字冕仲，福建南劍州人。徽宗宣和七年進端明殿學士。《宋史翼》卷二十六、〈列傳〉第二十六、〈文苑〉一有傳。《解題》謂裳延平人，即南劍州人，故治即今福建南平縣。

元豐二年進士第一人，貴顯於崇、觀，死於建炎，年八十有七。廣校案：元抄本、盧校本「七」作「九」。

> 案：《宋史翼》裳本傳載：「黃裳字冕仲，福建南劍州人。未第時，嘗作〈遊仙記〉，傳於京師，神宗覽而愛之。元豐五年，禮部奏進士有裳名。及進讀廷試策，凡在前列者皆不稱旨。令求裳卷，至第五甲始見。神宗曰：『此乃狀元也。』擢為第一。考官以高下失實，皆罰銅。紹聖末，權兵部侍郎。元符二年，兼權吏部侍郎。徽宗即位，累轉工部、禮部侍郎，求外補，未行，留為禮部尚書。建炎二年乞致仕，轉正議大夫。卒年八十有七。」可參證。惟《解題》謂裳「元豐二年進士第一人」，誤。

方三舍法初行，裳謂：「宜近不宜遠，宜少不宜老，宜富不宜貧，不如遵祖宗科舉之制。」世傳以為口實。

> 案：《宋史翼》裳本傳載：「會朝廷議推太學三舍法於天下，裳謂：『宜近不宜遠，宜少不宜老，宜富不宜貧，不如遵祖宗科舉之制。』不聽。久之，勺祠提舉杭州洞霄宮。政和四年，以龍圖閣直學士起知福州。宣和七年，進端明殿學士，再領宮祠。自號紫玄翁。」可參證。

景迂集二十卷

《景迂集》二十卷，_{廣棪案：《文獻通考》作「晁氏《景迂集》十二卷」。}徽猷閣待制晁說之以道撰。

> 廣棪案：《郡齋讀書志》卷第十九、〈別集類〉下著錄：「晁氏《景迂集》十二卷。」《宋史》卷二百八、〈志〉第一百六十一、〈藝文〉七、〈別集類〉著錄：「《晁說之□》二十卷。」所著錄卷數不同。說之，《宋史》無傳。《宋元學案》卷二十二、〈景迂學案‧涑水門人〉「詹事晁景迂先生說之」條謂：「晁說之字以道，一字伯以父，澶州人。」又謂：「高宗即位，馳驛召許翰、楊時及先生三人即赴行在，未至，即授以徽猷閣待制兼侍讀。」可參證。

又本止刊前十卷。說之平生著述至多，兵火散逸。其孫子健裒其遺文，得十二卷，續廣之為二十卷。別本刊前十卷而止者，不知何說也。〈劉跂斯立墓誌〉，景迂所撰，見《學易集》後，而此《集》無之，計其逸者多矣。

> 案：《四庫全書總目》卷一百五十四、〈集部〉七、〈別集類〉七著錄：「《景迂生集》二十卷，_{兩淮馬裕家藏本。}宋晁說之撰。說之有《儒言》，已著錄。說之博極羣籍，尤長經術。著書數十種，靖康中兵燹不存。其孫子健訪輯遺文，編為一十二卷，又續廣為二十卷。前三卷為〈議〉。四卷至九卷為〈詩〉。十卷為〈易元星紀譜〉。十一卷為《易規》十一篇。又〈堯典〉、〈中氣〉、〈中星〉、〈洪範小傳〉各一篇，〈詩序論〉四篇。十二卷為〈中庸傳〉及〈讀史〉數篇。十三卷即《儒言》。十四卷為〈雜著〉。十五卷為〈書〉。十六卷為〈記〉。十七卷為〈序〉。十八卷為〈後記〉。十九、二十卷為〈傳〉、〈墓表〉、〈誌銘〉、〈祭文〉。其中辨證經史，多極精當。《星紀譜》乃取司馬光《元歷》、邵雍《元圖》而合譜之，以七十二候、六十四卦相配而成。蓋《潛虛》之流也。陳振孫《書錄解題》曰：『〈劉跂斯立墓誌〉，景迂所撰，見《學易集》後。此《集》無之，計其佚者多矣。』此本當即陳氏所見，而譌誤頗甚。〈洪範小傳〉及十七卷〈序〉文內兼有脫簡。又有別本，題曰《嵩山集》，所錄詩文均與此本相合，譌闕之處亦同。蓋一書而兩名，今附著於此，不復別存其目云。」可參證。
> 劉跂字斯立，東光人。《宋史》卷三百四十、〈列傳〉第九十九附其父〈劉

摯〉。其〈傳〉僅載:「跂能為文章,遭黨事,為官拓落,家居避禍,以壽終。」所撰《學易集》,《四庫全書》本凡八卷,其《集》後確無景迂所撰〈劉跂斯立墓誌〉。

說之,元豐五年進士。元祐初,蘇文忠、范太史、曾文昭皆薦之。坐元祐邪等,廢棄,靖康末始為從官。卒於建炎二年。慕司馬溫公為人,自號景迂生。廣棪案:《文獻通考》闕「卒於建炎三年」以下三句。

　　案。《郡齋讀書志》卷第十九、〈別集類〉下著錄:「晁氏《景迂集》十二卷。右從父詹事公也。諱某,字以道,文元公玄孫。少慕司馬溫公為人,自號景迂生。年未三十,蘇子瞻以著述科薦之。元符中,上書,居邪中等。博極群書,通《六經》,尤精於《易》,傳邵堯夫之學,著《太極傳》。縉紳高其節行。嘗守成州,時民訴歲旱,公以為十分,盡蠲其稅,轉運使大怒,督責甚峻,因丐老而歸。靖康初,以著作郎召,遷祕書監,免試,除中書舍人兼太子詹事,俄以論不合去國。建炎初,終於徽猷閣待制。」《宋元學案》「詹事晁景迂先生說之」條載:「晁說之,字以道,一字伯以父,澶州人也,參政宗慤曾孫。元豐五年進士。東坡稱其自得之學,發揮五經,理致超然,不踐陳迹,嘗以『文章典麗,可備著述』薦之。范公淳夫亦以『博極群書』薦之,曾文昭公亦薦之。先生慕司馬文正公之為人,故以景迂生自號。文正著《潛虛》,未成而病,屬先生補之,先生遜謝不敢。然文正之門,傳其《太玄》之學者惟先生。又從康節弟子楊賢寶傳其先天之學,和劑斟酌,以窮三《易》之旨,其于泰山孫氏之門,從姜至之講《洪範》;不名一家。元符三年,知無極縣,應詔上書言十事,其一曰祗德,其二曰法祖,其三曰辨國疑,其四曰歸利于民,其五曰復民之職,其六曰不用兵,其七曰士得自致于學,其八曰廣言路,其九曰貴多士,其十曰無欲速,無好名高。凡數十萬言,大抵指荊公政事之非,紹述諸臣之謬。入邪等,奉嵩嶽祠,監陝州集津倉。再請奉華嶽祠,監明州船場。通判鄜州,提舉南京鴻慶宮,知成州。先生氣質剛毅,不以貶錮屈。其在關中,留心橫渠之學。其在甬上,與豐尚書相知相唱酬。及守成州,歲旱,先生盡蠲其稅。轉運使大怒,欲減其分,先生持不可,遂丐致仕去。靖康初,召至京,除秘書少監兼諭德。已而以中書舍人兼詹事,淵聖以宿儒待之。先生于溫公,守其疑孟之說;又惡荊公,而荊公最尊孟。先生請去《孟子》于講筵,欽宗從之,

太學之士譁然，言者紛起。又力言三鎮不可割，兼諫止欽宗不可棄汴京出狩，皆與當國者不合。又言荊公不應配享神宗，安得配享孔子。于是耿南仲既傾吳敏、李綱，遂言先生與許景衡二人視大臣升黜為去就，懷姦徇私，落職，提舉西山崇福宮。胡文定公爭之，不報。高宗即位，馳驛召許翰、楊時及先生三人即赴行在，未至，即授以徽猷閣待制兼侍讀。先生少長承平，至是流離喪亂，避兵于高郵，于海陵，于建康，病甚。其在海陵，嘆曰：『平生著述，悉為灰燼，惟《易》不可以已。』力疾追述舊作。建炎三年，卒于舟中，竟未得入見。遺言無得志墓。」均可參證。

龜山集二十八卷

《龜山集》二十八卷，工部侍郎延平楊時中立撰。

　　廣棪案：《宋史》卷二百八、〈志〉第一百六十一、〈藝文〉七、〈別集類〉著錄：「《楊時集》二十卷，又《龜山集》三十五卷。」均與此著錄卷數不同。時字中立，號龜山，南劍將樂人。高宗時除工部侍郎。《宋史》卷四百二十八、〈列傳〉第一百八十七、〈道學〉二有傳。延平，宋屬南劍州。

時及從明道，死當建炎四年，年八十有七，於程門最為壽考。

　　案：《宋史》楊時本傳載：「楊時字中立，南劍將樂人。幼穎異，能屬文，稍長潛心經史。熙寧九年，中進士第。時河南程顥與弟頤講孔、孟絕學于熙、豐之際，河、洛之士翕然師之。時調官不赴，以師禮見顥於穎昌，相得甚懽。其歸也，顥目送之曰：『吾道南矣。』四年而顥死，時聞之，設位哭寢門，而以書赴告同學者。至是，又見程頤於洛，時蓋年四十矣。」又載：「高宗即位，除工部侍郎。陛對言：『自古聖賢之君，未有不以典學為務。』除兼侍讀。乞修《建炎會計錄》，乞恤勤王之兵，乞寬假言者。連章丐外，以龍圖閣直學士提舉杭州洞霄宮。已而告老，以本官致仕，優游林泉，以著書講學為事。卒年八十三，諡文靖。」《宋史》所載時之卒年與《解題》不同。考宋人黃去疾撰《楊龜山先生年譜》，謂時皇祐五年（1053）癸巳十月二十五日生，紹興五年（1135）乙卯四月二十四日卒，年八十三。《宋元學案》卷二十五、〈龜山學案·二程門人〉

「文靖楊龜山先生時」條亦載：「紹興五年四月二十四日卒，年八十三。」均與《宋史》合。若時生於皇祐五年，卒於建炎四年（1130），則年僅七十九，《解題》恐誤。

梁谿集一百二十卷

《梁谿集》一百二十卷，丞相忠定公昭武李綱伯紀撰。

廣棪案：《讀書附志》卷下、〈別集類〉三著錄：「《梁谿先生文集》一百七十卷。」《宋史》卷二百八、〈志〉第一百六十一、〈藝文〉七、〈別集類〉著錄：「《李綱文集》十八卷。」所著錄卷數均與此不同。綱字伯紀，邵武人。高宗即位，拜尚書右僕射兼中書侍郎。《宋史》卷三百五十八、〈列傳〉第一百一十七，卷三百五十九、〈列傳〉第一百一十八有傳。至綱謚忠定，《宋史》無載。葉適《水心文集》卷二十六有〈李丞相綱謚忠定議〉一文，曰：「議曰：公自起居郎，極論都城水災，斥爲監當，而抗直之聲震於天下矣。及斡離不來寇，在廷茫然將從乘輿以出，獨公請與執政辨詰，遂奪其議，力守京師，虜以退卻。然其留割三鎮，詔書擊女眞之歸，而募兵以防其再至，皆爲同列所排，不果用也。高宗中興，首命公自輔，於是張邦昌以僭逆誅矣。先是河北、河東錄堅守者，建遣張所、傅亮往援接之，乞幸襄、鄧以係人心，而無走東南；使周望、傅雱通問二聖，而無踵和約。時中原尙未潰也。公方除京輔亂政，漸復祖宗舊法，奏請施行數十事，多中機要，使稍得歲年之須，則兩河不遂陷，而虜不敢復鼓行入內地矣，而讎恥因可報也。不幸方七十五日而罷去，迄其後，常疏外坎壈，雖僅免顚沛，而曾不少得其意焉。自是禍難百出，而南北竟以分裂，此爲國家惜者，所以哀公之心，而深悲其相之不終，士至有未嘗識公面，而坐論救公以死，彼豈有所顧望附託而然哉！蓋公之賢，自當時市井負販莫不喜爲之道說，然而謗公者亦衆矣。其尤甚者，罪公特以計取顯位而已，京師之禍，公實使之。嗚呼！當是之時，所謂謀國者豈有他道哉？避走而乞和，譽賊虜而卑中國爾！以避走乞和，譽賊虜卑中國之人，而議公之得失，故其自許爲謀詳慮密，而謂公爲略而疏，自以爲鎭重能消弭，而謂公爲輕銳而喜事。其恬視君父之仇，畏死持祿，甘爲世所賤侮，而以公之能尊君，以身徇國，爲人望所屬者，謂

為朋黨要結以自榮。故主和者非致寇,而守京師者為失策矣。則公之負謗於時,固亦其理之所宜得也,何足辨哉!顧獨有可恨者,夫是非毀譽之相蒙布,必至於久而後定,是從古已然者也。公之歿五十載矣,世之論公者卒亦未有以大異於前日也,何歟?孔子曰:『微管仲,吾其被髮左衽矣!』考公之行事,而深察其志,使要其功烈之所成就,則豈有媿於孔子之所稱者哉?悲夫!謹按諡法:慮國忘家曰忠,安民大慮曰定。請以忠定為公諡。謹議。」可參證。

父夔,進士起家,至右文殿修撰,黃右丞履之甥也。

案:《宋史》綱本傳載:「李綱字伯紀,邵武人也。自其祖始居無錫。父夔,終龍圖閣待制。」《宋元學案》卷二十五、〈龜山學案‧龜山講友〉「衛公李先生夔」條載:「李夔,字師和,邵武人。經書一覽成誦,文不停綴,舅黃履器之。與龜山友善。登元豐進士第,嘗為華亭縣尉,有政聲,遷縣令。累官右文殿修撰,終龍圖閣待制。以子忠定恩贈太師、衛國公。參《姓譜》。」可參證。考夔父賡,娶妻黃氏,故夔為履之甥,綱為履外孫。

綱娶吳園先生張根之女,亦右丞外孫。

案:《浮溪集》卷二十四、〈行狀‧朝散大夫直龍圖閣張公行狀〉載:「公諱根,字知常,姓張氏,唐宰相文瓘之後。……連三試禮部,以元豐五年擢進士第,年二十有一。禮部尚書黃公履聞其名,以女妻之。……女七人:適秘書郎黃伯思,起居郎李綱,太常博士李富國,太府寺丞薛良顯,杭州監稅范渭,寶應縣丞虞澮。一人尚幼。」據是,根為黃履壻,其女亦履外孫,而根即綱之外舅。

「梁谿」名《集》者,修撰葬錫山,忠定嘗廬墓云。

案:梁谿,《中國古今地名大辭典》載:「梁溪,在江蘇無錫縣治西門外,源出慧山,相傳古溪極隘。梁大同中重浚,故名。或以梁鴻居此而名。溪廣約百尺,深約三尺,水極清澈,風帆點點,清景入畫。今稱無錫縣治曰梁溪,以此。」錫山即無錫。考楊時《龜山集》卷三十二、〈誌銘〉三有〈李修撰墓誌銘〉,曰:「宣和三年閏五月二十有七日,中大夫、右文殿修撰、隴西縣開國男,食邑三百戶李公以疾終于家。八月二十有八日,葬于常州無錫縣開元鄉湛峴之原,與其夫人吳氏同穴。」是李綱葬錫山之證。

襄陵集二十四卷

《襄陵集》二十四卷，尚書右丞襄陵許翰崧老撰。

廣棪案：《讀書附志》卷下、〈別集類〉二著錄：「許右丞《襄陵文集》二十二卷、《詩》二卷、《行狀》一卷。右尚書右丞許翰之文也。翰，字崧老，拱之襄邑人。登元祐進士第。建炎初元，自提舉鴻慶宮，召拜右丞，屢章丐罷，除資政、提舉洞霄宮。紹興二年，以提舉萬壽觀召，懇求外祠，又乞致仕，道卒于吉州，贈光祿大夫。〈行狀〉中載其章疏為多。」《宋史》卷二百八、〈志〉第一百六十一、〈藝文〉七、〈別集類〉著錄：「許翰《襄陵文集》二十二卷。」疑《解題》著錄之二十四卷，乃合《文集》與《詩》而言也。翰字崧老，拱州襄邑人。高宗即位，拜尚書右丞兼權門下侍郎。《宋史》卷三百六十三、〈列傳〉第一百二十二有傳。

元祐三年進士，靖康初入西府，建炎為丞轄，與黃潛善輩不合而去。

案：《宋史》翰本傳載：「許翰字崧老，拱州襄邑人。中元祐三年進士第。」所記與《解題》同。《宋史》本傳又載：「靖康初，復以給事中召。……高宗即位，用李綱薦，召復延康殿學士。既至，拜尚書右丞兼權門下侍郎。時建炎大變之後，河北山東大盜李成、孔彥舟等，聚眾各數十萬，皆以勤王為名，願得張所為帥。所為御史，嘗論黃潛善姦奸不可用。由是得罪。李綱為相，乃以所為河北等路招撫使，牽成等眾渡河，號召諸路，為興復計，潛善力沮之。宗澤論車駕不宜南幸，宜還京師，且詆潛善等。潛善等請罷澤，翰極論以為不可。李綱罷，翰言：『綱忠義英發，捨之無以佐中興，今罷綱，臣留無益。』力求去，高宗不許。時潛善奏誅陳東，翰謂所親曰：『吾與東，皆爭李綱者。東戮東市，吾在廟堂可乎？』求去益力，章八上，以資政殿大學士提舉洞霄宮。復以言者落職。」可參證。

後湖集十卷

《後湖集》十卷，丹陽蘇庠養直撰。廣棪案：盧校本「陽」作「楊」。誤。

廣棪案：《宋史》卷二百八、〈志〉第一百六十一、〈藝文〉七、〈別集類〉

著錄：「《蘇庠集》三十卷。」卷數與此不同。庠，丹陽人。《宋史》卷四百五十五、〈列傳〉第二百一十八、〈隱逸〉下附〈王忠民〉。

其父堅伯固，亦有詩名。

案：蘇堅，《宋史》無傳。《宋元學案補遺》卷九十九、〈蘇氏蜀學略補遺·東坡講友·附錄〉「縣丞蘇先生堅」條載：「蘇堅字伯固，澧州人。爲錢塘丞，督開西湖，與東坡倡和甚多。及東坡從儋耳北歸，猶作詩寄之。有『靈均一去楚江空，澧陽蘭茝無顏色』之句。《澧州志》。梓材謹案：先生，養直父。《鶴林玉露》謂其從東坡游。」可參證。

庠以遺澤畀其子，而自放江湖間。東坡見其〈清江曲〉，大愛之，由是得名。僧祖可正平號癩可者，其弟也。庠中子扶，亦工詩，有清苦之節。庠，紳之後，頌之族。

案：《宋史》庠本傳載：「時又有蘇庠者，丹陽人，紳之後，頌之族也。少能詩，蘇軾見其〈清江曲〉，大愛之，由是知名。徐俯薦其賢，上特召之，固辭；又命守臣以禮津遣，庠辭疾不至，以壽終。」可參證。考祖可，《宋詩紀事》卷九十二「祖可」條載：「祖可字正平，丹陽人，蘇伯固之子，養直之弟。住廬山，被惡疾，人號癩可。詩入江西派，有《東溪集》、《瀑泉集》。」至蘇扶，《至順鎮江志》卷十九載：「蘇扶，居丹陽，庠仲子。工詩與書，酷似其父，貧甚而樂，嘗有郡太守招之，語子姪輩曰：『吾何以獲知於人，特以先世隱名存爾，殆不過哀吾貧而周之，寧忍以父名賣錢耶？』固辭，不往，死至無以斂葬云。」是扶工詩有清苦之節之證。

初寮集四十卷、後集十卷、內外制二十四卷

《初寮集》四十卷、《後集》十卷、《內外制》二十四卷，廣棪案：《文獻通考》作「王履道《初寮集》十卷、《內制》十八卷、《外制》十卷」。尚書左丞中山王安中履道撰。廣棪案：《文獻通考》無此句。

廣棪案：《郡齋讀書志》卷第十九、〈別集類〉下著錄：「王履道《初寮集》十卷、《內制》十八卷、《外制》八卷。」《讀書附志》卷下、〈別集類〉二著錄：「《初寮先生前集》四十卷、《後集》十卷。右王安中字履道之文也。《郡齋讀書志》止載《初寮集》十卷。希弁所藏乃周益文忠公必大序《前集》中興以前、《後集》中興以後文也。《內外制》二十六卷，則李

文敏公邠序。」《宋史》卷二百八、〈志〉第一百六十一、〈藝文〉七、〈別集類〉著錄：「《王安中集》二十卷。」所著錄卷數多與《解題》有所異同。安中字履道，中山陽曲人，宣和元年拜尚書右丞；三年，爲左丞。《宋史》卷三百六十三、〈列傳〉第一百一十一有傳。

安中年十四薦於鄉，凡四舉乃登第。為中司受旨，攻蔡京。京子攸入禁中，日夕泣涕告于上，安中亟改翰苑，事遂止。

案：《宋史》安中本傳載：「王安中字履道，中山曲陽人。進士及第，調瀛州司理參軍、大名縣主簿，歷秘書省著作郎。……時上方鄉神仙之事，蔡京引方士王仔昔以妖術見，朝臣戚里夤緣關通。安中疏請自今招延山林道術之士，當責所屬保任，宣召出入，必令察視其所經由，仍申嚴臣庶往還之禁；并言京欺君僭上、蠹國害民數事。上悚然納之。已而再疏京罪，上曰：『本欲即行卿章，以近天寧節，俟過此，當爲卿罷京。』京伺知之，大懼，其子攸日夕侍禁中，泣拜懇祈。上爲遷安中翰林學士，又遷承旨。」可參證。

其自政府出守燕，京父子排之也。

案：《宋史》安中本傳載：「宣和元年，拜尚書右丞；三年，爲左丞。金人來歸燕，謀帥臣，安中請行。」但未載京、攸二人「排之」事。《宋元學案》卷九十八、〈荊公新學略・爲新學者〉「補太保王初寮安中」條載：「宣和中，累官翰林學士、尚書左丞。金人來歸燕，以初寮爲燕山府路宣撫使。」亦然。

然安中之進，亦本由梁師成。

案：《宋元學案》卷二十三、〈景迂學案・景迂門人〉「直閣朱先生弁」條載：「祖望謹案：景迂弟子可考者，惟王太保安中、朱奉使弁二人而已。……且安中本由梁師成得大用，則亦辱其傳矣。故不爲立傳，而但以曲洧附見。」可參證。

始，東坡帥定武，安中未弱冠，猶及師事焉，未卒業而坡去。

案：《宋元學案補遺》卷九十八、〈荊公新學略補遺〉「補太保王初寮安中」條「附錄」載：「周益公〈跋初寮帖〉曰：『初寮先生未冠時，及拜東坡於中山，筆精墨妙，宜有傳授。當政、宣閒，禁切蘇學，涉近似旋坐廢錮，而先生以奪胎換骨之手，揮毫禁林，初無疑者。靖康而後，黨禁已

解，玉佩瓊琚之辭，怒猊渴驥之書，盛行於東南，然人人知其爲蘇門顏、閔也。』可參證。

其後，晁以道爲無極令，安中既第，修邑子禮，用長牋自言以新學竊一第，爲親榮，非其志也。以道曰：「爲學當謹初，何患不遠到？」安中築室，榜曰「初寮」。其議論聞見多得于以道，既貴顯，遂諱晁學，但稱成州使君四丈，無復先生之號矣。甚哉！籍、湜不畔之難也。

案：《宋元學案》卷二十三、〈景迂學案‧景迂門人〉「直閣朱先生弁」條載：「祖望謹案：景迂弟子可考者，惟王太保安中、朱奉使弁二人而已。然安中當景迂令無極時，修長牋，執及門禮，自言『以新學竊一第爲親榮，非其志也』，景迂曰：『爲學當謹初，何患不遠到！』安中所以築室榜曰初寮者，此也。議論聞見，多得之景迂。及既貴顯，遂諱景迂之學，但稱『成州使君四丈』，無復『先生』之號，君子醜之。」可參證。籍、湜，張籍、皇甫湜，昌黎弟子。

劉給事集五卷

《劉給事集》五卷，給事中劉安上元禮撰。

廣棪案：《宋史》卷二百八、〈志〉第一百六十一、〈藝文〉七、〈別集類〉著錄：「《劉安上文集》四卷。」所著錄卷數不同。安上字元禮，政和時，除給事中。《宋史翼》卷七、〈別傳〉第七有傳。

紹聖四年登第，歷臺諫、掖垣、瑣闥，以次對歷三郡而終。《集》中有〈彈蔡京疏〉。

案：《宋史翼》安上本傳載：「劉安上字元禮，安節從弟也。見知于范純仁，與兄同受業伊川之門，里人稱爲大、小劉以別之，成紹聖四年進士，調杭州錢唐尉，累遷至提舉兩浙學事。陛對稱旨，徽宗稱其蘊藉有大臣體，由監察御史再遷至侍御史，上嘗目送之，曰：『安上奏事可謂詳審。』時蔡京竊弄威權，凶焰滔天，安上極論其罪，抗章不報。乃再疏論之曰：『臣累疏論列蔡京罪惡，雖蒙俞允，未即顯誅，臣不敢避再三之瀆，仰干天聽。三省事務必由聖斷，京不候奏，擬徑行批下，其罪一也。文昌舊省乃先帝睿畫，京惑于陰陽之說，一毀爲墟，其罪二也。謀動邊釁，

舉師黔南，民不聊生，其罪三也。錢鈔朝令夕改，商販不行，棄妻鬻子，或至自經，其罪四也。汲引凶奸，結爲死黨，其罪五也。株連羅織，翼鉗異議，其罪六也。臚傳賜第，摘其語涉諷己者，編廢二十餘人，其罪七也。交結宮闈，私通近習，其罪八也。託祝聖以營臨平之私域，假利民以決興化之讖水，其罪九也。孟翊、張懷素皆其所引，姦妖惡逆，其罪十也。其餘積惡未容殫述，臣愚欲望陛下斬京頭以謝天下，斬臣頭以謝京。』時大觀二年也。復與中丞石公弼、諫議大夫張克公廷論之，京始罷相。在言路三年，凡所彈射，皆不法之尤者。三年遷右諫議大夫，又劾給事中蔡崈以道家吐納之說，妄自尊大，侍班瞑目，上輕君父，時論偉之。政和初，除中書舍人；踰年，除給事中，尋以徽猷閣待制知壽州、婺州、邢州，有古循吏風。宣和三年，除知壽春府。凡額外泛抛，一概不應，以撫綏寬緩爲事，遂以椿發軍糧，虧欠削秩去。六年，知舒州奉祠。建炎二年卒，年六十。嘗語人曰：『吾在言路，仇怨滿天下矣。然吾職風憲，吾無心耳。』凡論列章疏，退輒削藁，故人鮮知者。所著有制誥、雜文三十卷，今存五卷。《劉給事集》、薛嘉言〈劉公行狀〉。」可參證。

橫塘集三十卷

《橫塘集》三十卷，尚書右丞瑞安許景衡少伊撰。

　　廣棪案：《宋史》卷二百八、〈志〉第一百六十一、〈藝文〉七、〈別集類〉著錄：「許景衡《橫塘集》三十卷。」與此同。景衡字少伊，溫州瑞安人。高宗時除尚書右丞。《宋史》卷三百六十三、〈列傳〉第一百二十二有傳。

亦嘗從程氏學。

　　案：《宋史》景衡本傳載：「景衡得程頤之學，志慮忠純，議論不與時俯仰。」可參證。

建炎初爲執政，與黃、汪不合罷。廣棪案：《文獻通考》作「汪、黃」。

　　案：《宋史》景衡本傳載：「高宗即位，以給事中召，既至，除御史中丞。宗澤爲東京留守，言者附黃潛善等，多攻其短，欲逐去之。景衡奏曰：『臣自浙渡淮，以至行在。聞澤之爲尹，威名政事，卓然過人，雖不識

其人，竊用歎慕。臣以爲去多京城內，有赤心爲國如澤等數輩，其禍變未至如是之酷。今若較其小短，不顧盡忠狥國之節，則不恕已甚。且開封宗廟社稷所在，苟欲罷澤，別遣留守，不識搢紳中威名政事有加於澤者乎？』疏入，上大悟，封以示澤，澤乃安。杭州叛卒陳通作亂，權浙西提刑趙叔近招降之，請授以官。景衡曰：『官吏無罪而受誅，叛卒有罪而蒙賞，賞罰倒置，莫此爲甚。』卒奏罷之。除尚書右丞。有大政事，必請問極論。潛善、伯彥以景衡異己，共排沮之。或言正、二月之交，乃太一正遷之日，宜於禁中設壇望拜。高宗以問景衡，曰：『修德愛民，天自降福，何迎拜太一之有？』」可參證。黃即潛善；汪，汪伯彥也。

建議渡江幸建康，言者以為非是，及下還京之詔，景衡以憂卒於瓜洲。

案：《宋史》景衡本傳載：「初，李綱議建都，以關中爲上，南陽次之，建康爲下。綱既相，遂主南陽之議。景衡爲中丞，奏：『南陽無險阻，且密邇盜賊，漕運不繼，不若建康天險可據，請定計巡幸。』潛善等傾綱使去，南陽之議遂格。至是，諜報金人攻河陽、汜水，景衡又奏請南幸建康。已而有詔還京，罷景衡爲資政殿學士、提舉杭州洞霄宮。至瓜洲，得喝疾，及京口卒，年五十七，諡忠簡。」可參證。

未幾，敵騎奄至淮揚，廣校案：《文獻通考》「敵騎」作「虜騎」。**倉卒南渡。**

案：《宋史》景衡本傳載：「建炎初，李綱議幸南陽，宗澤請還京，景衡乃請幸建康。黃潛善等素惡其異己，暨車駕駐揚州，怵於傳聞，不得已下還京之詔，遂借渡江之議罪之，斥逐而死。既沒，高宗思之曰：『朕自即位以來，執政忠直，遇事敢言，惟許景衡。』詔賜景衡家溫州官舍一區。」可參證。

章貢集二十卷

《章貢集》二十卷，祕書監章貢李朴先之撰

廣校案：《宋史》卷二百八、〈志〉第一百六十一、〈藝文〉七、〈別集類〉著錄：「《李朴集》二十卷。」與此同。朴字先之，虔之興國人。高宗即位除祕書監。《宋史》卷三百七十七、〈列傳〉第一百三十六有傳。章貢即虔州興國。

紹聖元年進士。坐言隆祐之賢，廢二十年。_{廣棪案：《文獻通考》作「三十年」，}
_{盧校本同。}

案：《宋史》朴本傳載：「李朴字先之，虔之興國人。登紹聖元年進士第，
調臨江軍司法參軍，移西京國子監教授，程頤獨器許之。移虔州教授。
以嘗言隆祐太后不當廢處瑤華宮事，有詔推鞫。忌者欲擠之死，使人危
言動之，朴泰然無懼色。旋追官勒停，會赦，注汀州司戶。」可參證。

蔡京欲強致之，不屈。

案：《宋史》朴本傳載：「朴自為小官，天下高其名。蔡京將彊致之，俾
所厚道意，許以禁從，朴力拒不見，京怒形於色，然終不害也。」可參
證。

靖康、建炎之間，半歲五遷，而病不能行以死。_{廣棪案：《文獻通考》闕此}
_{三句。}

案：《宋史》朴本傳載：「有奸民言邑東地產金寶，立額買撲，破田疇，
發壚墓，厚賂乃已。朴至，請罷之。改承事郎，知臨江軍清江縣、廣東
路安撫司主管機宜文字。欽宗在東宮聞其名，及即位，除著作郎，半歲
凡五遷至國子祭酒，以疾不能至。高宗即位，除祕書監，趣召，未至而
卒，年六十五。贈寶文閣待制，官其子孫二人。」可參證。

其教授西京國子監也，程伊川與之甚厚，然謂其太直，以洛中風波為戒。
朴笑曰：「不意此言發于先生之口。」伊川為之改容愧謝，其風節可畏也。

案：《宋元學案》卷十九、〈范呂諸儒學案‧君竹家學〉「秘監李章貢先
生朴」條載：「梓材謹案：《直齋書錄解題》，《章貢集》三十卷。且言先
生教授西京國子監，伊川與之甚厚，然謂其太直，以洛中風波為戒。先
生笑曰：『不意此言發于先生之口！』伊川為之改容愧謝，其風節可畏。
《伊洛淵源錄》程門四十二人，先生與焉。謝山于〈陳鄒諸儒學案〉有
云：『四明五先生講學，一傳而豐氏，再傳而得了翁、先之二人。』是
先生又為豐氏門人。《豐清敏遺事》一卷，即先生所輯，題曰『門人章
貢李朴編次。』_{雲濠謹案：《伊洛淵源錄》云：『李先之，贛上人。為西京學官，因}
_{受學焉。』《呂氏雜志》云：『李先之、周恭叔皆從程先生學問，而學蘇公文辭以文之，}
_{世多譏之者。』}」可參證。

歐陽修撰集六卷

《歐陽修撰集》六卷，崇仁布衣贈祕閣修撰歐陽澈德明撰。廣棪案：《文獻通考》「澈」作「徹」，誤。下同。

　　廣棪案：黃虞稷、倪燦《宋史藝文志補‧集部》著錄：「歐陽澈《飄然集》六卷、《附錄》一卷。」是此書亦名《飄然集》。《四庫全書總目》卷一百五十七、〈集部〉十、〈別集類〉十著錄：「《歐陽修撰集》七卷。」所著錄卷數與《解題》不同。澈字德明，撫州崇仁人。紹興四年贈祕閣修撰。其生平事蹟既見《宋史》卷四百五十五、〈列傳〉第二百一十四、〈忠義〉十澈本傳，亦見同卷〈陳東傳〉。

澈死時年三十一。廣棪案：《文獻通考》無「時」字。

　　案：《宋史》澈本傳載：「高宗即位南京，伏闕上封事，極詆用事大臣，遂見殺，見〈陳東傳〉。死時年三十七。」《宋元學案補遺》卷四十五、〈范許諸儒學案補遺‧襄陵同調〉「修撰陳先生東、修撰歐陽先生澈合傳」條據《宋史》，亦云澈卒年三十七。

環溪吳沆哀其詩為《飄然集》三卷，而會稽胡衍晉遠取其所上三書，併刻之臨川倅廨。

　　案：《宋史》澈本傳載：「澈所著《飄然集》六卷，會稽胡衍既刻之，豐城范應鈴為立祠學中。」可參證。

空青遺文十卷

《空青遺文》十卷，直寶文閣南豐曾紆公卷撰。廣棪案：盧校注：「《宋史》曾紆字公袞。『卷』、『袞』同。」

　　廣棪案：紆字公袞，號空青，世家撫之南豐。高宗時直寶文閣。《宋史翼》卷二十六、〈列傳〉第二十六、〈文苑〉一有傳，謂著有《空青遺文》十卷。

紆，布之子，有異材。

　　案：《宋史翼》紆本傳載：「曾紆，……丞相布之第四子也。年十三，伯父鞏受以韓愈詩文，學益進。……叔父肇不妄許可人，嘗曰：『文章得天才，當省學問之半，吾文力學至此耳。吾家阿紆，所得超然，未易量也。』

故詩文每出，人爭誦之。篆隸行草，沈著痛快，得古人用筆意。《浮溪集·曾公墓誌》。」可參證。

建中靖國初，布在相位，奉詔為〈景靈西宮碑〉，紆之筆也。

案：陸游《渭南文集》卷第二十五、〈書空青集後〉曰：「建中靖國元年，景靈西宮成。詔丞相曾公銘於碑，以詔萬世。碑成，天下傳誦，為宋大典，且歎曾公耆老白首，而筆力不少衰如此。建炎後，仇家盡斥，曾公文章始行於世，而獨無此文。或謂中更喪亂，不復傳矣。淳熙七年，某得曾公子寶文公遺文於臨川，然後知其寶文公代作，蓋上距建中八十年矣。嗚呼！文章鉅麗閎偉至此，使得用於世，代王言，頌成功，施之朝廷，薦之郊廟，孰能先之。而終寶文公之世，士大夫莫知也。汪翰林平生故人，及銘其墓，惟曰：『始為家賢子弟，中為時勝流，晚為能吏。』是豈足以言公哉！公家世固以文章名天下，又自少時所交皆諸父客，天下偉人出入試用亦數十年，朋舊滿朝，然世猶不盡知之如此。況山林之士，老於布衣，所交不出閭巷，其埋沒不耀，抱材器以死者，可勝數哉！可勝歎哉！九月十九日，山陰陸某書。」是〈景靈西宮碑〉乃紆代筆也。

建炎、紹興之際，將漕江浙，入為司農少卿，知信、衢州以卒。

案：《宋史翼》紆本傳載：「建炎三年，……提舉明道宮。甫兩月，起知撫州，除江南西路轉運副使。明年，除司農少卿，改福建路提點刑獄。明年，進直寶文閣，知衢州，未之官，卒。年六十有三。」可參證。

汪彥章誌其墓，

案：彥章，汪藻字。藻《浮溪集》卷二十八、〈誌銘·右中大夫直寶文閣知衢州曾公墓誌銘〉曰：「紹興五年十月戊辰，右中大夫、直寶文閣、知衢州曾公卒于信州。明年五月丙申，即其州之南七里上饒鄉葬焉。將葬，其孤惇以吳興劉一止之〈狀〉，屬公故人汪藻而告曰：『先人以文章、議論、政事行世三十餘年，卒不克大施以歿，葬而不得傳信之辭納之壙中，猶不葬。惟夫子幸賜之〈銘〉。』藻謝非其人，不可，則書而系以〈銘〉。公諱紆，字公袞，世家撫之南豐，尚書戶部郎中、直史館、贈太師密國公致堯之曾孫，太常博士、贈太師、魯國公易占之孫，而丞相、文肅公布之第四子也。母曰魯國夫人魏氏。公少穎悟，天資既高，又受學于賢父母。當是時，文肅公為天子守邊，不暇朝夕際，專以魯國為師。

年十三，伯父南豐先生鞏授以韓愈詩文，學益進。文肅公任爲承務郎，學士鄧潤甫、尚書彭汝礪與語，大奇之。舉賢良方正科，上其文公車，會科廢而止。建中靖國元年，文肅公爲二后山園陵使，用故事辟公以從。事已，左丞相韓儀公欲擢公館閣，公白文肅公，力辭，下除太僕寺主簿，一時名士賢者，皆願見之。于是左司諫江公望，累數百言薦公，不敢以宰相子爲嫌。文肅公免相，言者指公嘗夜過韓儀公家，議復瑤華事，且受父客金，請付史。當國者用呂嘉問尹京，典詔獄。嘉問，熙寧中與文肅公議法爲敵者也。鍛鍊半年無所得，詔自中竄永州，入元祐黨籍。會赦，移和州；又會赦，復承奉郎，監潭州南嶽廟。文肅公歿，執喪以孝聞。服除，調監南京河南稅，改簽書甯國軍節度判官。時宣城江溢，沒數千家，公白守曰：『饑而賑貸，法也。然廩非部使者不可發，今事急矣，請船粟以哺垂死之民。』守曰：『如三尺何？』公曰：『紓常平主管官也，有罪當坐之。』即發廩自言，部使者嘉而不問，除通判鎮江府。會淮南漕渠不通，泗、楚州連數守罷。發運使陳亨伯密奏，選公知楚州，公因荒政，役饑民，渠通而民活者，不可勝計。以功加直祕閣，與部使者論事不合，移秀州。州歲比版圖，前此吏高下其手，民患苦之。公委僚屬降登，不使吏預其間，吏怨公入骨，則爲書以搖眾，人人自危。公立焚其書，州以無事。還朝，除蔡河撥發。未幾，提舉京畿常平，改江南東路轉運判官。陛辭，陞副使，罷歸，得主管南京鴻慶宮，屏居湖州。建炎三年，苗傅、劉正彥反，呂、張二公檄諸州勤王，檄至湖州，守梁端會士大夫謀之，眾未及言，公奮然曰：『逆順明甚，出師無可疑者。』間數日，苗傅來取兵，公請端械繫使者，毋令還。當是時，微公幾殆。上反正，御史中丞張守白發其忠，除直顯謨閣，且召見之。公曰：『守臣在也，吾何爲者？』辭不行。然上雅知公名，明年六月，除江南東路轉運副使。九月，移兩浙路。于是大軍屯江上，求索無涯，公隨給之，猶不滿意，狼籍公牒。公度不可留，引嫌自言，復還江南東路。先是盜孫誠等暴誘屬邑，一方騷然，公作聖旨招安，單舸見之。諭以禍福，誠等望風迎拜，上書歸矯制罪，天子賢而釋之。未幾，隆祐皇后崩，參知政事李回爲監護使，辟公修奉，議者欲稱園陵。公曰：『上不日恢復中原，奉隆祐歸祔，此特攢宮耳，當先正名。』朝廷用其言，聞者服其知

體。再請宮祠，提舉亳州明道宮。甫兩月，起知撫州，鋤治彊梗，民畏懷之。逾年，以鄉都自陳，除江南西路轉運副使。明年九月，除司農少卿，改福建路提點刑獄。明年二月，進直寶文閣。詔齎文肅公〈正論〉手書赴闕，中道除知信州，尋移衢州，未之官卒，春秋六十有三。公才高而識明，博極書史，始以通知古今，裨贊左右，為家賢子弟。中以文章翰墨，風流醞藉，為時勝流。晚以精明強力，見事風生，為國能吏。雖低佪外補，位不至公卿，而所交皆一時英豪，世之言人物者，必以公一二數。公之謫永州也，黃庭堅魯直過焉。得公詩，讀而愛之，手書于扇。公之叔父肇，不妄許可人，嘗曰：『文章得天才，當省學問之半。吾文力學至此耳，吾家阿紆，所得超然，未易量也。』故公詩文每出，人爭誦之。又篆隸行草，沈著痛快，得古人用筆意。江南大牓豐碑，率公為之，觀者忘去。文肅公薨于謫籍，公不敢求為碑銘，獨取平時奏對之辭會萃之，如辯明宣仁誣謗等事，名曰〈朝正論〉，藏于家，不敢出者二十餘年，靖康中始傳，猶有仄目者，公不之恤也。公襟韻夷粹，與人交，洞見肺肝，談笑多聞，坐客皆屈。聞人緩急，若拯救焚溺然，忘其身奔趨之，雖蹈傾危不悔。于理財尤得其要，所臨沛然，未嘗有不足之歎。或有疑而問焉者，公曰：『吾豈一毫取民哉？第當輸者，人不能欺，常賦自有除耳！』初文肅公歿，窆于南徐，于是公客信者數年，不克歸葬，而葬其所，以令人王氏祔。令人，祕閣校勘安國之女，先公卒四年。子三人，曰惇，右奉議郎，通判洪州；曰忻，右從事郎，臨安府司法參軍；曰憕，右迪功郎，監潭州南嶽廟。女一人，適右承事郎主管江州太平觀王銍。銘曰：『惟曾顯融，開迹南豐。密國之裔，以儒鼎峙。文肅獨騫，相帝初元。公雖承家，再振厥華。與時卷舒，行三紀餘。才大不酬，老于一州。植我墓檟，龜峰之下。遙望蒜山，而不車還。』」可參考。

孫仲益序其文。

　　案：仲益，孫覿字。覲《鴻慶居士集》卷三十一有〈曾公卷文集序〉，曰：「南豐曾氏，太平興國中諫議大夫密國公諱致堯者，以文章有大名，自著《仙島書》、《西陲要記》、《中台》等書，百八十餘卷，藏于家。歐陽文忠公銘其碑。有子曰太常博士魯國公韓，《易》占能傳父學，著《時

議》數十萬言，皆當世要務，將獻之朝。行次南京，遇疾卒，不果上。荊國王文公誌其墓。生六子，多知名，而三人尤稱於天下，曰中書舍人肇，以文儒道德爲學者宗，號南豐先生。曰右丞相布，以正言直道，歷事三朝，有勳有勞在，受之蘊藉，諡文肅。曰翰林學士肇，高文碩學，出處大節與先生齊名，諡文昭。皆有文集行于世，今寶文公，丞相第四子也。諱紓，字公卷，年甫八歲，南豐先生授以韓吏部詩，一覽而誦。先生喜曰：『曾氏代不乏人矣！』既冠學成，文昭讀其文，大驚曰：『文才出于天分，可省學問之半。』于是吏部尚書彭公汝礪、翰林學士鄧公溫伯，舉試制策，未幾科廢，不果召。公時少年，以大臣子積學名教，無一點貴遊驕吝之氣，屬文辭，落筆千言，指事析理，命物託論，證據古今，出入經史，俊壯豪健，如走彈丸，如建瓴水，疎暢條達無間斷，無艱難辛苦之態。一時老師宿學、名人巨公，交口譽歡，謂公他日必以大手筆繼文肅、文昭之後。徽宗踐阼，改元建中靖國，文肅拜右丞相，悉昭、陳瓘、鄒浩、龔夬等爲臺諫官，而蔡京嘗朋附邢恕，誣詆宣仁大后，爲大奸慝，不去必亂天下，首斥去之。居無何，京入相，興大獄，脩故怨，公父子皆抵罪，徙置湖海，終京之世二十五年，而曾氏子孫無一人仕于朝。京死，朝廷稍進公，守方州，刺一路，且出爲世用矣。而京黨李光誣奏公爲眞州通判時，藉中聘一妓爲妾；知楚州時，交中貴人，冒錫帶之寵。又免所居去。久之，公移書宰相有云：『內府兼金，何曾入夢；淮南別乘，恐是前身。』以斥光之妄，廟堂傳笑，以爲口實。公文章固自守家法，而學詩，以母夫人魯國魏氏爲師，句法清麗，純去刀尺，有古詩之風。黃庭堅曾直遷宜州，道出零陵，道得公〈江樾書事〉二小詩，愛之，書團扇上，諸詩人莫能辨也。嗚呼！公之文足以書典冊，公之詩足以繼雅頌，而卒不遇以死。彼處從官大臣之列，而功德不足以堪之。始爲說以自恕者，公雖不遇於世，亦何恨哉！公中子忻，奉議郎、興化軍通判，集公詩文爲十卷，詒書老友孫某爲之〈序〉。宣和初，公倅京口，攝府事。郡有西樓，公撤而新之，爲文記其成。雄詞桀句，殆與樓稱。余與坐客韓駒子蒼、張志處文舍人三讀稱歡。其〈辨言章〉一啓，乃與范丞相者，今皆不見于《集》中，則知公詩文遺落者尚多也。公州里世次，歷官行事，已有龍圖閣直學士汪藻彥章識其葬，故不著。」可參考。

王銍性之，其壻也。

案：《浮溪集·右中大夫直寶文閣知衢州曾公墓誌銘》云：「女一人，適右承事郎，主管江州太平觀王銍。」銍，《宋史翼》卷二十七、〈列傳〉第二十七、〈文苑〉二有傳，曰：「王銍字性之，汝陰人，昭素之後，曾紆壻也。」可參證。

石林總集一百卷、年譜一卷

《石林總集》一百卷、《年譜》一卷，尚書左丞吳郡葉夢得少蘊撰。

廣棪案：《宋史》卷二百八、〈志〉第一百六十一、〈藝文〉七、〈別集類〉著錄：「葉夢得《石林集》一百卷，又《奏議》十五卷、《建康集》八卷。」闕《年譜》一卷。夢得字少蘊，蘇州吳縣人。高宗時，遷尚書左丞。《宋史》卷四百四十五、〈列傳〉第二百、〈文苑〉七有傳。

紹聖四年進士。崇、觀間驟貴顯，三十一歲掌外制，次年遂入翰林。中廢，至建炎乃執政，然財數日而罷。

案：《宋史》夢得本傳載：「葉夢得字少蘊，蘇州吳縣人。嗜學蚤成，多識前言往行，談論亹亹不窮。紹聖四年，登進士第，調丹徒尉。徽宗朝，自婺州教授召為議禮武選編修官。用蔡京薦，召對，言：『自古帝王為治，廣狹大小，規模各不同，然必自先治其心者始。今國勢有安危，法度有利害，人材有邪正，民情有休戚，四者，治之大也。若不先治其心，或誘之以貨利，或陷之以聲色，則所謂安危、利害、邪正、休戚者，未嘗不顛倒易位，而況求其功乎？』上異其言，特遷祠部郎官。大觀初，（蔡）京再相，向所立法度已罷者復行，夢得言：『《周官》太宰以八柄詔王馭群臣，所謂廢置賞罰者，王之事也，太宰得以詔王而不得自專。夫事不過可不可二者而已，以為可而出於陛下，則前日不應廢，以為不可而不出於陛下，則今不可復。今徒以大臣進退為可否，無乃陛下有未了然於中者乎？』上喜曰：『邇來士多朋比媒進，卿言獨無觀望。』遂除起居郎。……二年，累遷翰林學士，極論士大夫朋黨之弊，專於重內輕外，且乞身先眾人補郡。……三年，以龍圖閣直學士知汝州，尋落職，提舉洞霄宮。政和五年，起知蔡州，復龍圖閣直學士。……逮高宗駐蹕揚州，遷翰林學士兼侍讀，除戶部尚書。……既而帝駐蹕杭州，遷尚書左丞，

奏監司、州縣擅立軍期司掊斂民財者，宜罷。上諭以兵、食二事最大，
當擇大臣分掌。門下侍郎顏岐、知杭州康允之皆嫉夢得，又與宰相朱勝
非議論不協，會州民有上書訟夢得過失者，上以夢得深曉財賦，乃除資
政殿學士、提舉中太一宮，專一提領戶部財用，充車駕巡幸頓遞使，辭
不拜，歸湖州。」可參證。

平生所歷州鎮，皆有能聲。

案：《宋史》夢得本傳載：「紹興初，起為江東安撫大使兼知建康府，兼
壽春等六州宣撫使。時建康荒殘，兵不滿三千。夢得奏移統制官韓世清
軍屯建康，崔增屯采石，閤皋分守要害。會王才降劉豫，引兵入寇，夢
得遣使臣張偉諭才降之，以其眾分隸諸軍。濠、壽叛將寇宏、陳卞，雖
陽受朝命，陰與劉豫通，夢得諭以福禍，皆聽命。及豫入寇，卞擊敗之，
齊兵宵遁。八年，除江東安撫制置大使兼知建康府、行宮留守。又奏防
江措畫八事：一、申飭邊備，二、分布地分，三、把截要害，四、約束
舟船，五、團結鄉社，六、明審斥堠，七、措置積聚，八、責官吏死守。
又言建康太平池州緊要隘口、江北可濟渡去處共一十九處，願聚集民
兵，把截要害，命諸將審度敵形，併力進討。金都元帥宗弼犯含山縣，
進逼歷陽，張俊諸軍遷延未發，夢得見俊，請速出軍，曰：『敵已過含
山縣，萬一金人得和州，長江不可保矣！』俊趣諸軍進發，聲勢大振，
金兵退屯昭關。明年，金復入寇，遂至柘皋，夢得團結沿江民兵數萬，
分據江津，遣子模將千人守馬家渡，金兵不得渡而去。初，建康屯兵歲
費錢八百萬緡，米八十萬斛，榷貨務所入不足以支。至是，禁旅與諸道
兵咸集，夢得兼總四路漕計，以給饋餉，軍用不乏，故諸將得悉力以戰。
詔加觀文殿學士，移知福州，兼福建安撫使。海寇朱明猖獗，詔夢得挾
御前將士便道之鎮，或召或捕，或誘之相戕，遂平寇五十餘群。」可參
證。

**胡文定安國嘗以其蔡、潁、南京之政薦于朝，謂不當以宿累廢。晚兩帥
金陵，當烏珠臨江，**廣棪案：《文獻通考》「烏珠」作「兀朮」，元抄本、盧校本同。
移三山平群寇，廣棪案：元抄本、盧校本「群」作「郡」。**其功不可沒也。**

案：《宋史》卷四百三十五、〈列傳〉第一百九十四、〈儒林〉五、〈胡安
國〉載：「葉夢得知應天府，坐為蔡京所知，落職奉祠。安國言：『京罪

已正，子孫編置，家財沒入，已無蔡氏矣。則向爲京所引者，今皆朝廷之人，若更指爲京黨，則人才見棄者眾，黨論何時而弭！』乃除夢得小郡。」可參證，並互爲補充。

秦檜秉政，欲令帥蜀，辭不行，忤檜意，以崇慶節度使致仕。

案：《宋史》夢得本傳載：「然頗與監司異議，上章請老，特遷一官，提舉臨安府洞霄宮。尋拜信軍節度使致仕。」可參證。《解題》作「崇慶節度使」，疑誤。

其居在卞山，奇石森列，藏書數萬卷。既沒，守者不謹，屋與書俱燼于火。

案：王明清《揮麈後錄》卷七載：「唐著作郎杜寶〈大業幸江都記〉云：『隋煬帝聚書至三十七萬卷，皆焚于廣陵。其目中蓋無一帙傳於後代。』靖康俶擾，中祕所藏，與士大夫家者，悉爲烏有。南渡以來，惟葉少蘊少年貴盛，平生好收書逾十萬卷；賓之雪川弁山。山居建書樓以貯之，極爲華煥。丁卯冬，其宅與書俱蕩一燎。李泰發家舊有萬餘卷，亦以是歲火於秦，豈厄會自有時邪？」可參證。

「石林」二字，本出《楚辭・天問》。廣棪案：盧校注：「焉有石林？何獸能言？」得無謂其制號之不考耶？

案：《楚辭・天問》有「焉有石林」之句，《石林總集》書名出此。

石林建康集十卷

《石林建康集》十卷，皆帥建康時詩文。其初，以所蒞官各爲一集，後其家編次，總而合之，此《集》其一也。

案：《宋史》卷二百八、〈志〉第一百六十一、〈藝文〉七、〈別集類〉著錄：「葉夢得《建康集》八卷。」較《解題》著錄少二卷。《宋史》夢得本傳載：「（紹興）八年，除江東安撫制置大使兼知建康府、行宮留守。又奏防江措畫八事：一、申飭邊備，二、分布地分，三、把截要害，四、約束舟船，五、團結鄉社，六、明審斥堠，七、措置積聚，八、責官吏死守。又言建康太平池州緊要隘口、江北可濟渡去處共一十九處，願聚集民兵，把截要害，命諸將審度敵形，併力進討。金都元帥宗弼犯含山

縣，進逼歷陽，張俊諸軍遷延未發，夢得見俊，請速出軍，曰:『敵已過含山縣，萬一金人得和州，長江不可保矣。』俊趣諸軍進發，聲勢大振，金兵退屯昭關。明年，金復入寇，遂至柘皋，夢得團結沿江民兵數萬，分據江津，遣子模將千人守馬家渡，金兵不得渡而去。初，建康屯兵歲費錢八百萬緡，米八十萬斛，権貨務所入不足以支。至是，禁旅與諸道兵咸集，夢得兼總四路漕計，以給饋餉，軍用不乏，故諸將得悉力以戰。詔加觀文殿學士，移知福州，兼福建安撫使。」可略悉夢得帥建康時政績。《四庫全書總目》卷一百五十六、〈集部〉九、〈別集類〉九著錄:「《石林居士建康集》八卷，福建巡撫採進本。宋葉夢得撰。夢得有《春秋傳》，已著錄。陳振孫《書錄解題》載夢得《總集》一百卷、《審是集》八卷。今俱不傳。又載《建康集》十卷，乃紹興八年再鎮建康時所著。此本八卷，與振孫所記不合。然末有其孫輅〈題跋〉，亦云八卷。其或《書錄解題》屢經傳寫，誤以八卷爲十卷。抑或舊本殘闕，亡其二卷，後人追改輅〈跋〉以僞稱完帙。則均不可考矣。夢得爲蔡京門客，章惇姻家。當過江以後，公論大明，不敢復噓紹述之焰。而所著《詩話》，尚尊熙寧而抑元祐，往往於言外見之。方回《瀛奎律髓》於其〈送嚴墇北使〉一詩，論之頗詳。然夢得本晁氏之甥，猶及見張耒諸人。耳濡目染，終有典型。故文章高雅，猶存北宋之遺風。南渡以後，與陳與義可以肩隨。尤、楊、范、陸諸人皆莫能及。固未可以其紹聖餘黨，遂掩其詞藻也。」可參證。

石林審是集八卷

《石林審是集》八卷，其門人盛光祖子紹所錄。亦已入《總集》。

　　廣校案:《宋史》卷二百五、〈志〉第一百五十八、〈藝文〉四、〈儒家類〉著錄:「陳舜申《審是集》一卷。」殊非同一書。《四庫全書總目》卷一百五十六、〈集部〉九、〈別集類〉九「《石林居士建安集》八卷」條謂:「陳振孫《書錄解題》載夢得《總集》一百卷、《審是集》八卷。今俱不傳。」所考甚確。盛光祖，生平不可考。

浮溪集六十卷

《浮溪集》六十卷，_{廣棪案：《文獻通考》作「汪彥章《浮溪集》」。}**翰林學士婺源汪藻彥章撰。**

廣棪案：《郡齋讀書志》卷第十九、〈別集類〉下著錄：「《汪彥章集》十卷。右皇朝汪藻字彥章。嘗為翰林學士。」《讀書附志》卷下、〈別集類〉三著錄：「《浮溪先生文集》六十卷、《猥藁外集》一卷、《龍溪先生文集》六十卷。右汪藻字彥章之文也。《郡齋讀書志》止載《汪彥章集》十卷。希弁所藏《浮溪》、《龍溪》兩本，卷秩皆六十卷。藻，德興人，崇寧二年進士，建炎中，為中書舍人，權直院。紹興中，為兵侍，改翰林，出知湖州，改撫州，提舉太平宮。黜居于永，累赦不宥，凡八年而卒。藻工於儷語，所為制詞，人多傳誦。《集》乃孫覿序。」《宋史》卷二百八、〈志〉第一百六十一、〈藝文〉七、〈別集類〉著錄：「《汪藻集》六十卷。」是藻有《浮溪集》六十卷，《郡齋讀書志》作十卷，未知有脫漏否？藻字彥章，饒州德興人。欽宗時拜翰林學士。《宋史》卷四百四十五、〈列傳〉第二百四、〈文苑〉七有傳。《解題》謂藻「婺源」人，在今安徽省；《宋史》本傳謂「饒州德興人」，即今江西鄱陽縣。考之孫覿〈浮溪集序〉載：「公，鄱陽人，諱藻，字彥章云。」則《解題》誤。

四六偶儷之文，起於齊、梁，歷隋、唐之世，表、章、詔、誥多用之。然令狐楚、李商隱之流號為能者，_{廣棪案：《文獻通考》「號為」作「是為」。}**殊不工也。**_{廣棪案：盧校注：「玉溪四六何嘗不工，陳氏自囿於所習耳。」}**本朝楊、劉諸名公猶未變唐體，至歐、蘇，始以博學富文，為大篇長句，敘事達意，無艱難牽強之態，而王荊公尤深厚爾雅，儷語之工，昔所未有。紹聖後置詞科，習者益眾，格律精嚴，一字不苟措，**_{廣棪案：《文獻通考》「措」作「錯」，元抄本、盧校本同。}**若浮溪尤其集大成者也。**

案：孫覿〈浮溪集序〉曰：「顯謨閣學士、左大中大夫、知徽州汪公，自崇甯初起太學諸生，策高第，校三館秘書，尚符璽，再遷尚書郎，立柱下為右史，遂贊書命，入翰林為學士，蓋仕朝廷三十年，專以文學議論居儒官從臣之列，所為詩文若干首，傳天下，號《浮溪集》，凡若干卷，公以書屬故人孫覿為之〈序〉。余曰：『天下有能事，而文章為難工，由漢迄唐，千有餘歲，一時大手筆，作為文章，閎麗精深，傑然視天下而

自立于不朽者，蓋幾人而已。杜子美詩，格力自大，雄跨百代，為古今
詩人之冠，至他文輒不工。荀卿所謂藝之至者不兩能，信矣！夫道喪文
敝，作者眾矣，詞句儇淺，益不逮前，其間心競力取，馳騁上下，欲一
蹶以造古人之域，而擇之不精，守之不固，殉名而媮，習鄙而陋，固不
足與于斯文。左太沖積十年之勤，僅成一賦；劉伯倫以一〈酒德頌〉終
其身，而一能之善，一語之工，亦遂列于作者之林，而名後世。今汪公
之文，所謂閎麗精深，傑然視天下者也。公平生無所嗜好，至讀古聖賢
之書，屬為詞章，如啗士窊，嗜昌歜，為一病。寤寐千載，心慕手追，
貫穿百氏，網羅舊聞，推原天地道德之旨，古今理亂興廢得失之迹，而
意有所適者，必寓之于此。登高望遠，屬思千里，凡耳目之所接，雜然
觸于中而發于詠歎者，必寓之于此。崎嶇兵亂，潛深伏隩，悲歌慷慨，
酣醉無聊，而不平有動于心者，亦必寓之于此。伎與道俱，習與空會，
文從字順，體質渾然，不見刻畫，如金鐘大鏞，叩之輒應，愈叩而愈無
窮，何其盛也！公在館閣時，方以文章為公卿大臣所推重，每一篇出，
余獨指其妙處，公亦喜為余出也。後十五年，公以儒先宿學，當大典冊，
秉太史筆，為天子視草，始大發于文，深醇雅健，追配古作，學士大夫
傳誦，自海隅萬里之遠，莫不家有其書，所謂常、楊、燕、許諸人，皆
莫及也。公詩自少作已有能名，及是與年俱老，興微託遠，得詩人之本
意，覽者當自知之。公，鄱陽人，諱藻，字彥章云。晉陵孫覿撰。」考
《宋史》本傳亦謂藻「工儷語，多著述，所為制詞，人多傳誦」。《四庫
全書總目》卷一百五十六、〈集部〉九、〈別集類〉九「《浮溪集》三十六
卷」條則謂：「統觀所作，大抵以儷語為最工。其代言之文，如〈隆裕太
后手書建炎德音〉諸篇，皆明白洞達，曲當情事。詔令所被，無不悽憤
激發，天下傳誦，以比陸贄。說者謂其著作得體，足以感動人心，實為
詞令之極則。其他文亦多深醇雅健，追配古人。其詩則得於徐俯，俯得
之其舅黃庭堅，見《獨醒雜志》。尤具有淵源。孫覿作藻〈墓誌〉，以大手筆
推之，殆非溢美。惟楊萬里《誠齋詩話》紀藻與李綱不叶，其草〈綱罷
相制詞〉，至比之驩兜、少正卯，頗為清議所譏。是又名節心術之事，與
文章之工拙，別為一論者矣。」均可參證。

翟忠惠集三十卷

《翟忠惠集》三十卷，參政丹陽翟汝文公巽撰。

> 廣棪案：《讀書附志》卷下、〈別集類〉三著錄：「《忠惠先生文集》三十卷，右翟汝文字公巽之文也。公巽，丹陽人。年十四，登進士第，徽宗朝爲左史、給事中、吏部侍郎，欽宗朝召直翰苑。紹興中，參知政事，終于資政殿學士，提舉洞霄宮。私謚忠惠。文乃其子耆年編次，附〈忠惠先生家傳〉于後。」《宋史》卷二百八、〈志〉第一百六十一、〈藝文〉七、〈別集類〉著錄：「《翟汝文集》三十卷。」與此同。汝文字公巽，潤州丹陽人。紹興元年除參知政事。《宋史》卷三百七十二、〈列傳〉第一百三十一有傳。

汝文制誥古雅，多用全句，氣格渾厚，近世罕及。

> 案：《宋史》汝文本傳載：「召拜中書舍人，外制典雅，一時稱之。」《四庫全書總目》卷一百五十六、〈集部〉九、〈別集類〉九著錄：「《忠惠集》十卷、《附錄》一卷，《永樂大典》本。……汝文好古淹博，深通篆籀，嘗從蘇軾、黃庭堅、曾鞏游，故所爲文章，尚有熙寧、元祐遺風。史稱其爲中書舍人時，外制典雅，一時稱之。蓋當北宋之季，如汪藻、孫覿皆以四六著名，惟汝文能與之頡頏。周必大序覿《鴻慶集》，稱中多誤收汝文所作。亦足見其體格之相近矣。楊萬里《誠齋詩話》引汝文〈左僕射制〉中『古我先王，惟圖任舊人共政；咸有一德，克左右厥辟宅師』二句。以爲『用成語雅馴妥貼之式』。又引〈賀蔡攸除少師啓〉中『朝廷無出其右，父子同升諸公』二句，以爲『截斷古語，補以一字而讀者不覺，爲巧之至』。今觀其文，大都根柢深厚，措詞雄健。所謂無一字無來處者，庶幾足以當之，非南宋表、啓塗飾剽掇之比。其爲作者所推，非徒然也。」可供參證。

夫人邢氏，恕之女。居實，其弟也。

> 案：邢恕字和叔，鄭州陽武人。《宋史》卷四百七十一四、〈列傳〉第二百三十、〈姦臣〉一有傳。其〈傳〉曰：「子居實、倞。」是居實、倞皆邢氏之弟。

長子耆年，廣棪案：《文獻通考》作「耆季」，形近而誤。寔邢出，好古博文，高尚不仕。

> 案：耆年，《宋史》無傳。《宋史翼》卷二十八、〈列傳〉第二十八、〈文苑〉三〈翟耆年〉載：「翟耆年字伯壽，父汝文，《宋史》有傳。以父任

入官,自少知友名士,劉器之甚愛之,而以著〈騷〉見稱于張耒。好古博雅,偏介不苟,自謂爲吏必以戇。罷,放浪山水間,著書自娛。范宗尹欲召之,蘇庠曰:『翟子清濁太明,善惡太分,此張惠恕所以不容於當世也。』既老,自號罨落老隱。善篆隸、八分,著有《籀史》二卷。《嘉定鎮江志》,參《籀史》、《書史會要》。」可參證。

忠惠者,私諡也。

案:《四庫全書總目》「《忠惠集》十卷、《附錄》一卷《永樂大典》本。」條載:「宋翟汝文撰。汝文字公巽,潤州丹陽人。登進士第。事徽、欽兩朝,至顯謨閣學士,出知越州。高宗時歷官參知政事。以忤直忤秦檜罷歸。事蹟具《宋史》本傳及孫繁所作〈誌銘〉中。忠惠者,其沒後門人所私諡也。」可參證。

鴻慶集四十二卷

《鴻慶集》四十二卷,戶部尚書晉陵孫覿仲益撰。大觀三年進士,政和四年詞科。

廣棪案:《讀書附志》卷下、〈別集類〉二著錄:「《孫尚書大全集》五十七卷。右孫覿之文也。覿字仲益,蘭陵人。大觀三年進士。嘗以靖康間文字得罪,廢徙久之,終於左朝奉郎、龍圖閣待制。」與《解題》著錄書名、卷數均不同。《宋史》卷二百八、〈志〉第一百六十一、〈藝文〉七、〈別集類〉著錄:「孫覿《鴻慶集》四十二卷。」與此同。覿,《宋史》無傳。《宋詩紀事》卷三十八「孫覿」條載:「覿字仲益,晉陵人。大觀三年進士,政和四年中詞科。高宗朝仕至戶部尚書。」可參證。

〈代高麗謝賜燕樂表〉,膾炙人口。生元豐辛酉,卒乾道己丑,蓋年八十有九,廣棪案:《文獻通考》闕「有」字。**可謂耆宿矣。而其平生出處,至不足道也。**廣棪案:盧校注:「嘗臣張邦昌。」

案:周必大《周文忠公集》卷五十三、〈序・鴻慶居士集序〉曰:「公軼群邁往,賦才獨異,而復天假之年,磨淬鍛煉。重之以湖山之助,名章雋語,少而成,壯而盈,晚而愈精。靖康時爲執法詞臣,其章疏、制誥、表奏,往往如陸敬輿,明辯駿發。每一篇出,世爭傳誦。耄年爲論譔,次對,親爲〈謝表啓〉,各出新意,用事屬詞,少壯所不逮。」《四庫全

書總目》卷一百五十七、〈集部〉十、〈別集類〉十著錄：「《鴻慶居士集》四十二卷，_{兩淮馬裕家藏本。}宋孫覿撰。覿字仲益，晉陵人。徽宗末，蔡攸薦爲侍御史。靖康初，蔡氏勢敗，乃率御史極劾之。金人圍汴，李綱罷御營使，太學生伏闕請留，覿復劾綱要君。又言諸生將再伏闕。朝廷以其言不實，下守和州。既而綱去國，復召覿爲御史。專附和議，進至翰林學士。汴都破後，覿受金人女樂，爲欽宗草〈表〉上金主，極意獻媚。建炎初，貶峽州。再謫嶺外。黃潛善、汪伯彥復引之，使掌誥命。後又以贓罪斥，提舉鴻慶宮。故其文稱《鴻慶居士集》。孝宗時，洪邁修國史，謂靖康時人獨覿在，請詔下覿，使書所見聞靖康時事上之。覿遂於所不快者，如李綱等，率加誣辭。邁遽信之，載於《欽宗實錄》。其後朱子與人言及，每以爲恨。謂小人不可使執筆。故陳振孫《書錄解題》曰：『覿生於元豐辛酉，卒於乾道己丑，年八十九，可謂耆宿矣。而其生平出處，則至不足道。』岳珂《桯史》亦曰：『孫仲益《鴻慶集》，大半誌銘，蓋諛墓之常，不足詫。獨〈武功大夫李公碑〉，乃儼然一璫耳，亟稱其高風絕識，自以不獲見之爲大恨。言必稱公，殊不爲怍。』趙與旹《賓退錄》復摘其作〈莫开墓誌〉，極論屈體求金之是，倡言復讎之非。又摘其作〈韓忠武墓誌〉，極詆岳飛。作〈万俟卨墓誌〉，極表其殺飛一事。爲顛倒悖繆，則覿之怙惡不悛，當時已人人鄙之矣。然覿所爲詩文頗工，尤長於四六。與汪藻、洪邁、周必大聲價相埒。必大爲作〈集序〉，稱其名章雋句，晚而愈精。亦所謂孔雀雖有毒，不能掩文章也。流傳藝苑已數百年，今亦姑錄存之，而具列其穢迹於右。一以節取其詞華，一以見立身一敗，詬辱千秋，清詞麗句，轉有求其磨滅而不得者，亦足爲文士之炯戒焉。」均可參證。

嘗提舉鴻慶宮，故以名《集》。

　　案：《宋詩紀事》卷三十八「孫覿」條載：「提舉鴻慶宮，有《鴻慶集》。」可參證。

呂忠穆集十五卷

《呂忠穆集》十五卷，丞相濟南呂頤浩元直撰。

　　廣棪案：《宋史》卷二百八、〈志〉第一百六十一、〈藝文〉七、〈別集類〉

著錄:「呂頤浩《忠穆文集》十五卷。」與此同。頤浩字元直,其先樂陵人,徙齊州。高宗時為相。《宋史》卷三百六十二、〈列傳〉第一百二十一有傳。

後三卷為〈燕魏錄〉,廣棪案:《文獻通考》闕「錄」字。**雜記古今事。卷末言金人敗盟始末甚詳。**廣棪案:《文獻通考》「敗盟」作「亂華」,元抄本、盧校本同。

案:《四庫全書總目》卷一百五十六、〈集部〉九、〈別集類〉九著錄:「《忠穆集》八卷,《永樂大典》本。宋呂頤浩撰。……《書錄解題》又稱《集》後三卷皆燕魏雜記。蓋頤浩在河北時所作。今祇存二十九條,於古蹟頗有典據。」可參證。

忠正德文集十卷

《忠正德文集》十卷,丞相聞喜趙鼎元鎮撰。

廣棪案:《讀書附志》卷下、〈別集類〉二著錄:「趙豐公《忠正德文集》十卷。」《宋史》卷二百八、〈志〉第一百六十一、〈藝文〉七、〈別集類〉著錄:「趙鼎《得全居士集》二卷,又《忠正德文集》十卷。」與此同。鼎字元鎮,解州聞喜人。高宗時為丞相。《宋史》卷三百六十、〈列傳〉第一百一十九有傳。

四字,高廟所賜宸翰中語也。

案:《讀書附志》卷下、〈別集類〉二著錄:「趙豐公《忠正德文集》十卷。右豐國趙忠簡公鼎之文也。始號《得全居士集》,周文忠公序之曰:『高宗中興,用宰相十五人,曰忠,曰正,曰德,曰文,兼而有之者,其惟趙公元鎮乎?此非私言,高宗大書賜公云爾,遂以名其《集》。』」《宋史》鼎本傳載:「建炎初,嘗下詔以姦臣誣衊宣仁保佑之功,命史院刊修,未及行。朱勝非為相,上諭之曰:『神宗、哲宗兩朝史事多失實,非所以傳信後世,宜召范沖刊定。』勝非言:『《神宗史》,增多王安石《日錄》;《哲宗史》,經京、卞之手,議論多不正,命官刪修,誠足以彰二帝盛美。』會勝非去位,鼎以宰相監修二史,是非各得其正。上親書『忠正德文』四字賜鼎,又以御書《尚書》一帙賜之,曰:『《書》所載君臣相戒飭之言,所以賜卿,欲共由斯道。』鼎上疏謝。」足資參證。

北山小集四十卷

《北山小集》四十卷，中書舍人信安程俱致道撰。

> 廣棪案：《宋史》卷二百八、〈志〉第一百六十一、〈藝文〉七、〈別集類〉
> 著錄：「《程俱集》三十四卷。」較《解題》著錄少六卷。俱字致道，衢
> 州開化人。紹興初擢中書舍人兼侍講。《宋史》卷四百四十五、〈列傳〉
> 第二百四有傳。信安即衢州，在今浙江境。

俱父祖世科，而俱乃以外祖鄧潤甫蔭入仕，宣和中賜上舍出身，為南宮
舍人。

> 案：《宋史》俱本傳載：「程俱字致道，衢州開化人。以外祖尚書左丞
> 鄧潤甫恩，補蘇州吳江主簿，監舒州太湖茶場，坐上書論事罷歸。起
> 知泗州臨淮縣，累遷將作監丞，近臣以譔述薦，遷著作佐郎。宣和二
> 年，進頌，賜上舍出身，除禮部郎，以病告老，不俟報而歸。」可參
> 證。

紹興初入西掖。徐俯為諫議大夫，封還詞頭，罷去。後以次對修史，病
不能赴而卒。

> 案：初入西掖，指除中書舍人。《宋史》俱本傳載：「紹興初，始置祕書
> 省，召俱為少監。奏修日曆，祕書長、貳得預修纂，自俱始。時庶事草
> 創，百司文書例從省記，俱摭三館舊聞，比次為書，名曰《麟臺故事》，
> 上之。擢中書舍人兼侍講。……徐俯為諫議大夫，俱繳還，以為：『俯雖
> 才俊氣豪，所歷尚淺，以前任省郎，遽除諫議，自元豐更制以來，未之
> 有也。昔唐元稹為荊南判司，忽命從中出，召為省郎，便知制誥，遂喧
> 朝聽，時謂監軍崔潭峻之所引也。近聞外傳，俯與中官唱和，有『魚須』
> 之句，號為警策。臣恐外人以此為疑，仰累聖德。陛下誠知俯，姑以所
> 應得者命之。』不報。後二日，言者論俱前棄秀州城，罷為提舉江州太
> 平觀。久之，除徽猷閣待制。俱晚病風痺，秦檜薦俱領史事，除提舉萬
> 壽觀、實錄院修撰，使免朝參，俱力辭不至。卒，年六十七。俱在掖垣，
> 命令下有不安于心者，必反覆言之，不少畏避。其為文典雅閎奧，為世
> 所稱。」可參證。

陵陽集五十卷

《陵陽集》五十卷，中書舍人仙井韓駒子蒼撰。

> 廣棪案：《郡齋讀書志》卷第十九、〈別集類〉下著錄：「《韓子蒼集》三
> 卷。右皇朝韓駒字子蒼，仙井人。政和初，詣闕上書，特命以官，累擢
> 中書舍人，權直學士院。王黼嘗命子蒼詠其家藏〈太乙眞人圖詩〉，盛傳
> 一世。宣和間，獨以能詩稱云。」《宋史》卷二百八、〈志〉第一百六十
> 一、〈藝文〉七、〈別集類〉著錄：「韓駒《陵陽集》十五卷，又《別集》
> 三卷。」疑《郡齋讀書志》所著錄者乃《別集》三卷。周紫芝《太倉稊
> 米集》卷六十七、〈跋‧跋陵陽集後〉載：「駒字子倉，仙井監人。宣和
> 六年遷中書舍人。與此同。駒，《宋史》卷四百四十五、〈列傳〉第二百
> 四、〈文苑〉七有傳。

自幼能詩，黃太史稱其超軼絕塵，蘇文定以比儲光羲。游太學不第，政
和初獻書召試，賜出身，後入西掖。坐蘇氏鄉黨曲學罷。

> 案：《宋史》駒本傳載：「韓駒字子蒼，仙井監人。少有文稱。政和初，
> 以獻頌補假將仕郎，召試舍人院，賜進士出身，除祕書省正字。尋坐爲
> 蘇氏學，謫監華州蒲城縣市易務。知洪州分寧縣。召爲著作郎，校正御
> 前文籍。……宣和五年，除祕書少監。六年，遷中書舍人兼修國史，入
> 謝。……駒嘗在許下從蘇轍學，評其詩似儲光羲。其後由宦者以進用，
> 頗爲識者所薄云。」周紫芝《太倉稊米集》卷六十七、〈跋‧書陵陽集後〉
> 載：「國家承平日久，朝廷無事，人主以翰墨文字爲樂，當時文士操筆和
> 墨，摹寫太平，紛然如韓子蒼〈題何太宰御賜畫喜雀詩〉，有『想得雪殘
> 鵶鵲觀，一雙飛上萬年枝』之句，不動斤斧，有太平無事之象。以此知
> 粉飾治具者，固不可以無其人也。王摩詰說開元時事，如『池北池南草
> 綠，殿前殿後花紅』，亦是好句，但如畫師著色畫屏風，妙則妙矣，奈未
> 能免俗何！大抵子蒼之詩，極似張文潛，淡泊而有思致，奇麗而不雕刻，
> 未可以一言盡也。」是周氏以子蒼勝王維矣！《四庫全書總目》卷一百
> 五十七、〈集部〉十、〈別集類〉十著錄：「《陵陽集》四卷，<small>浙江鮑士恭家藏
> 本</small>。宋韓駒撰。駒字子蒼，蜀仙井監人。政和中召試，賜進士出身。累除
> 中書舍人，權直學士院。南渡初，知江州。事蹟具《宋史‧文苑傳》。駒
> 學原出蘇氏。呂本中作〈江西宗派圖〉，列駒其中，駒頗不樂。然駒詩磨

淬礪截，亦頗涉豫章之格。其不願寄王氏門下，亦猶陳師道之瓣香南豐，不忘所自耳，非必其宗旨之迥別也。陸游跋其詩章，謂『反覆塗乙，又歷疏語所從來。詩成，既以與人。久或累月，遠或千里，復追取更定，無毫髮憾乃止』。亦可謂苦吟者矣。晁公武《郡齋讀書志》謂『王黼嘗命駒題其家藏〈太乙真人圖〉，盛傳一時』。今其詩具在《集》中，有『玉堂學士今劉向』之句，推許甚至。劉克莊謂『子蒼諸人，自鬻其技至貴顯』，蓋指此類。其亦陸游〈南園記〉之比乎？要其文章不可掩也。」均可參證。

丹陽集四十二卷、後集四十二卷

《丹陽集》四十二卷、《後集》四十二卷，顯謨閣待制江陰葛勝仲魯卿撰。

廣棪案：《宋史》卷二百八、〈志〉第一百六十一、〈藝文〉七、〈別集類〉著錄：「《葛勝仲集》八十卷。」《四庫全書總目》卷一百五十六、〈集部〉九、〈別集類〉九著錄：「《丹陽集》二十四卷，《永樂大典》本。宋葛勝仲撰。勝仲字魯卿，丹陽人。紹聖四年進士。又試學官及詞科，俱第一。官至華文閣待制，知湖州。紹興元年乞祠歸。十四年卒，諡文康。事蹟具《宋史·文苑傳》。據其壻章倧所作〈行狀〉，稱『有《文集》八十卷、《外集》二十卷。初刊版於真州，兵燹殘闕。隆興甲寅，知州事宋曉修補之，自跋其後；淳熙丙午，知州事姚恪又為重鋟，中書舍人王信為之〈跋〉』。自明以來，傳本遂絕。今據《永樂大典》所載，以類裒輯，得文十五卷、詩七卷、詩餘一卷，又附錄〈行狀〉、〈諡議〉為一卷，共成二十四卷。」是此書南宋各板本其卷數已多不同。勝仲字魯卿，丹陽人。《宋史》卷四百四十五、〈列傳〉第二百四、〈文苑〉七有傳。惟《宋史》載勝仲官至太府少卿、國子祭酒，而未言及顯謨閣待制及華文閣待制。

紹聖四年進士，元符三年詞科。

案：《宋史》勝仲本傳載：「葛勝仲字魯卿，丹陽人。登紹聖四年進士第，調杭州司理參軍。林希薦試學官及詞科，俱第一，除兗州教授，入為太學正。」可參證。

洪慶善序其文，有所謂「絕郭天信、館臣案、郭天信見《宋史‧方技傳》，原本作大信，誤。今改正。拒朱勔、慙盛章而怒李彥」者，蓋其平生出處之略也。

案：《四庫全書》本《丹陽集》凡二十四卷，書首無洪慶善〈序〉。慶善，興祖字。考《宋史》勝仲本傳載：「上幸學，多獻頌者，勝仲獨獻賦。上命中書第其優劣，勝仲為首，差提舉議曆所檢討官兼宗正丞。始，朝廷以從臣提舉議曆所，至是，代以郭天信，勝仲力請罷之。……尋知汝州。李彥括田，破產者眾，勝仲請蠲不當括者，彥怒，劾勝仲，上寢其奏，改湖州。尋徙鄧州，朱勔先求白雀之屬，勝仲不與，至是媒蘖其短，罷歸。」可參證。然未載「慙盛章」事。

再知湖州，後遂家焉。

案：《宋史》勝仲本傳載：「建炎中，范宗尹為相，凡前日以朋附被罪遠貶者，咸赦還，復知湖州。時群盜縱橫，聲搖諸郡，勝仲修城郭，作戰艦，閱士卒，賊知有備，引去。歲大饑，發官廩振之，民賴以濟。紹興元年，丐祠歸。十四年，卒，年七十三，諡文康。子立方，官至侍從。孫邲，為右相，自有傳。」可參證。

尹和靖集一卷、附集一卷

《尹和靖集》一卷、《附集》一卷，徽猷閣待制河南尹焞彥明撰。

廣棪案：《宋史藝文志補‧集部‧別集類》著錄：「尹焞《和靖文集》十卷。」卷數不同。焞字彥明，一字德充，世為洛人。紹興八年直徽猷閣。《宋史》卷四百二十八、〈列傳〉第一百八十七、〈道學〉二有傳。

子漸之孫。

案：子漸即尹源。《宋史》本傳載：「尹焞字彥明，一字德充，世為洛人。曾祖仲宣七子，而二子有名：長子源字子漸，是謂河內先生；次子洙字師魯，是謂河南先生。源生林，官至虞部員外郎。林生焞。」可參證。

年十九舉進士，策問欲誅元祐黨籍，不對而出，遂罷舉。

案：《宋史》焞本傳載：「少師事程頤，嘗應舉，發策有誅元祐諸臣議，焞曰：『噫，尚可以干祿乎哉！』不對而出，告頤曰：『焞不復應進士舉

矣！』頤曰：『子有母在。』焞歸告其母陳，母曰：『吾知汝以善養，不知汝以祿養。』頤聞之曰：『賢哉母也！』於是終身不就舉。」可參證。

靖康賜號和靖處士。

案：《宋史》焞本傳載：「靖康初，种師道薦焞德行可備勸講，召至京師，不欲留，賜號和靖處士。」

敵陷洛陽，廣校案：《文獻通考》「敵」作「虜」。**闔門遇害，死而復蘇，門人潛載以逃。**

案：《宋史》焞本傳載：「次年，金人陷洛，焞闔門被害，焞死復甦，門人昪置山谷中而免。」可參證。

客涪州，以范元長薦入經筵，擢列侍從。

案：《宋史》焞本傳載：「紹興四年，止于涪。涪，頤讀《易》地也，闕三畏齋以居，邦人不識其面。侍讀范沖舉焞自代，授左宣教郎，充崇政殿說書，以疾辭。范沖奏給五百金為行資，遣漕臣奉詔至涪親遣。六年，始就道，作文祭頤而後行。」可參證。

葬會稽山。

案：《宋史》焞本傳載：「焞自入經筵，即乞休致，朝廷以禮留之；(張)浚、(趙)鼎既去，秦檜當國，見焞議和疏及與檜書已不樂；至是，得求去之疏，遂不復留。十二年，卒。」是焞卒於紹興十二年（1142），然《宋史》未載及其葬所。

綦北海集六十卷

《綦北海集》六十卷，翰林學士北海綦崈禮叔厚撰。

廣校案：《讀書附志》卷下、〈別集類〉三著錄：「《北海先生文集》六十卷。右綦崈禮字叔厚之文也。叔厚，高密人。登政和上舍進士第。仕高宗，為翰林學士，終寶文閣學士、高密郡侯，贈朝議大夫。楊萬里、樓鑰為〈文集序〉，〈行狀〉、〈墓誌〉附于後。」《宋史》卷二百八、〈志〉第一百六十一、〈藝文〉七、〈別集類〉著錄：「綦崈禮《北海集》六十卷。」與此同。崈禮字叔厚，高密人，後徙濰之北海。高宗時，御筆除翰林學士。《宋史》卷三百七十八、〈列傳〉第一百三十七有傳。

工於四六。

案：《宋史》崇禮本傳載：「再入翰林凡五年，所撰詔命數百篇，文簡意明，不私美，不寄怨，深得代言之體。」是崇禮工於四六之證。

秦檜初罷相，崇禮當制，有御筆詞頭藏其家。檜再相，下台州追索，時崇禮已死，幸不及禍。

案：《宋史》崇禮本傳載：「崇禮妙齡秀發，聰敏絕人，不為崖岸斬絕之行。廉儉寡欲，獨覃心辭章，洞曉音律，酒酣氣振，長歌慷慨，議論風生，亦一時之英也。中年頓剉場屋，晚方登第，以縣主簿驟升華要，極潤色論思之選。端方亮直，不憚強禦，秦檜罷政，崇禮草詞顯著其惡無所隱，檜深憾之。及再相，矯詔下台州就崇禮家索其藁，自於帝前納之，且將修怨。會崇禮已沒，故身後所得恩澤，其家畏懼不敢陳，士大夫亦無敢為其任保。樓鑰嘗敘其文，以為氣格渾然天成，一旦當書命之任，明白洞達，雖武夫遠人曉然知上意所在云。」可參證。

雲龕草堂後集二十六卷

《雲龕草堂後集》二十六卷，參政鉅野李邴漢老撰。

廣棪案：《宋史》卷二百八、〈志〉第一百六十一、〈藝文〉七、〈別集類〉著錄：「李邴《草堂後集》二十六卷。」與此同。邴字漢老，濟州任城人。高宗時拜尚書右丞，未幾，改參知政事。《宋史》卷三百七十五、〈列傳〉第一百三十四有傳。鉅野，即濟州。

明受之變，以兵部侍郎直學士院叱責兇渠，朝廷賴焉。既復辟，首擢執政。

案：《宋史》邴本傳載：「高宗即位，復徽猷閣待制。踰歲，召為兵部侍郎兼直學士院。苗傅、劉正彥迫上遜位，上顧邴草詔，邴請得御札而後敢作。朱勝非請降詔赦，邴就都堂草之。除翰林學士。初，邴見苗傅，面諭以逆順禍福之理，且密勸殿帥王元偒以禁旅擊賊，元唯唯不能用，即詣政事堂白朱勝非，適正彥及其黨王世修在焉，又以大義責之，人為之危，邴不顧也。時御史中丞鄭瑴又抗疏言睿聖皇帝不當改號，於是邴、瑴為端明殿學士、同簽書樞密院事。邴與張守分草百官章奏，三奏三答，及太后手詔與復辟赦文，一日而具。四月，拜尚書右丞，未幾，改參知

政事。上巡江寧，太后六宮往豫章，命邴爲資政殿學士、權知行臺三省樞密院事。」樓鑰《攻媿集》卷七十五、〈題跋·跋李文敏公遺事〉曰：「士大夫學爲文章，固足以爲國之光華。一臨事變，墜素守，忘大節者多矣。二凶變起倉猝，文敏公廷叱之而奪其氣。事不難，無以見君子，宗社再安，誠國有人哉！」均可參證。

周益公作〈神道碑〉，言《前》、《後集》一百卷。今惟《後集》，蓋皆南渡後所作也。

案：益公所撰〈資政殿學士中大夫參知政事贈太師李文敏公邴神道碑〉，見《周文忠公集》卷六十九。其辭曰：「濟水貫兗與徐，居古九州之二。其在四瀆，得天地質信虔徐之氣。其澤曰大野，是爲十藪之首，鍾英炳靈，今於故參知政事文敏李公見之。始以淵源之學、華重之文，藻飾王度；中以剛大之氣，扶顛持危；晚以超卓之見，居安資深，允所謂間生之賢者也。公諱邴，字漢老，系出唐郇王禕。其十一世孫濤，仕五代爲相。入本朝，歷兵部尚書，生水部郎中承休，公高祖也。水部生廣文館進士、贈兵部尚書，諱仲寶，加贈太子太保者，公曾祖也。宮保次子諱景山，官至駕部郎中，贈太子少傅。兩娶蘭氏，贈咸寧郡夫人，公祖父母也。朝請大夫諱璩，贈少師，公父也。娶仲氏，鎮國夫人；孔氏，鄆國夫人。高、曾皆葬濟陰。伯祖殿中丞景圭，及宮傅，葬濟之任城。故公爲濟州鉅野縣人。幼警敏，喜讀書，弱冠能文，伯父樂靜先生昭玘，嘗從眉山蘇文忠、文定公，御史中丞孫公覺，門下侍郎李公清臣講論文章，仕至起居舍人。性靜厚忠實，其文演迤貫理，穩密不露斲削，公獨得其傳。崇寧五年登進士第，授將仕郎，德州平原尉，上官待以異禮。秩滿，升從政郎，濮州鄄城丞。外艱服除，執政知其名，用爲編脩，國朝會要所檢閱文字。宣和初，以儒林郎特除秘書省校書郎，改宣教郎。二年十月，擢尚書禮部員外郎。時中外奏祥瑞無虛日，公草賀表，筆不停綴，精確典麗。三年夏，進起居舍人。是多，以通直郎試中書舍人，賜服金紫。五年七月，遷給事中；閱月，權直學士院。陳橋顯烈宮成，特命公撰文刻石。明年八月，入翰林爲學士。徽宗曰：『內外制，得卿稱職矣！』高麗入貢，選充館伴，會召宰輔、親王、貴戚宴睿謨殿，賞橙橘，侍從預者纔四五人，而公在焉。詔賦紀事詩，公垂館客，夜草百韻以進，上大喜，遣中使持示麗人，麗人表謝，乞傳水以歸，凡私覿悉加

等。適蔡京再領三省，言路觀望，適公作大晏樂語，盛稱鎮圭爲罪，黜提舉南京鴻慶宮。七年冬，除徽猷待制，知越州。爲政清簡，柳強扶弱。欽宗覃恩，轉承議郎，詔諸路兵備，胡公擇掾屬通明者，付以調發城中，至不聞兵出，議者猶論公前。因時宰驟進，而不知至眷素厚也。坐落職，提舉西京嵩山崇福宮。高宗初年，復右文殿脩撰。踰年，召爲兵部侍郎，再直學士院。三年二月壬子，車駕南渡。壬戌至杭州。三月癸未，苗傅、劉正彥反，露刃宮門。上登樓撫諭，公亟趨前叱責傅等，兇熖稍息。又諭殿帥王元擊賊，元唯唯。公扣宰相朱勝非問計策，傅等皆在，公反覆鐫詰，人爲公危，公無懼色。退勝非，密引外援制賊。又謂傅所聽者正彥，正彥則倚王世脩爲謀主。宜陽許世脩侍從以間之，蔑不濟矣。太后垂簾旬餘，勝非遂奏變故以來，從官能助朝廷者惟李邴、鄭瑴協心於內，誦言於外。乃除公翰林學士，瑴御史中丞。呂頤浩、張浚、劉光世〔闕〕等義師起，公與權直院張守分撰，請復辟表及批答。丙午，勝非白太后，除公與瑴並爲端明殿學士，同簽書樞密院事。四月戊申朔，上御朝；明日，遷公尚書左丞，自朝散郎，例轉中大夫，公懇辭。上賜親札，署曰：『卿毅然正詞，氣析兇醜，萬眾動色，具臣靦顏。』公謝表亦云：『謀寢淮南，雖慙素望；笏擊朱泚，實屬壯心；詰責兇渠，激揚禁衛；迨成復辟，實與秘謨。蓋出孤忠，豈徼後福。』當時稱爲實錄。乙卯大赦，其文云：『斷鼇立極，開辟功成，取日授龍，神明御正。』亦公所草，四方誦之。駕幸江寧。六月，依祖宗舊制，合三省官，改參知政事；尋以防秋，分六宮百司奉太后如洪州，命公爲資政殿學士，權知行臺三省樞密院事。公與相臣呂忠穆公議論不協，臺諫有向背意，公聞之，固辭。八月仍本職，提舉洞霄宮，上念公不已。未閱月，起知平江府，視事三日，復從請祠。兄鄭，帥越失守，連坐落職，明年復端明。紹興元年，大禮還舊職。十六年五月甲午，以疾薨於泉州居第之正寢，享年六十有二。遺表聞贈正奉大夫。八月庚申，葬南安縣石皷山之原。爵隴西縣開國男、食邑四百戶；妻，東平郡夫人任氏，朝請郎之立女，前七月卒。五子：繽，警悟絕人，不樂仕進，號萬如居士，有〈梅詩〉百篇，終朝請大夫，侍講朱熹揭其墓；維，宣教郎，贈朝奉大夫；紀，疾廢；綸，朝奉大夫；紲，承議郎，贈朝請大夫。五女：長適朝奉大夫、直秘閣傅自得；次適左迪功郎趙如川，再適朝請郎晁子闔；次適通直郎梁護；次適從政郎仲壽朋；

次適迪功郎馬諒，再適迪功郎傅伸。孫男十四人：詵，承議郎；讜，承奉郎；諤，從事郎；諫，承務郎；誼，朝散郎；謙，承務郎；訥，從事郎；詤，今爲朝奉大夫、荊湖北路轉運判官；說，通事郎；訢，從事郎；證，將仕郎；詠、訪、謔。孫女十一人。公天資高明，積學深至，早歷清要，號稱文士。猝遇國難，大節凜然，爲廊廟之器。嘗奉詔編類平江勤王及奏請本末，付禮部鏤板。公既列上，即匱藏元牘，後自泉南繳納省中，子孫始知一時定計，具草手疏，皆出公及朱丞相之手，執政著名押字而已。罷政十七年，避時相不復出，讀書作文，雖病不廢；延納後進，教誘無倦，稱人之善，覆護所短，若親舊行己未至，則質問再三，使歸之正。奉養簡薄，賑恤宗族，治家嚴而恕，每愛徐孺子、申屠子、陶淵明之爲人。晚棄世故，深造以道，夫子朝聞夕死者，蓋得之。所著《草堂前》、《後集》一百卷，行於世。其葬也，寶文閣待制趙思誠爲之誌。諸子遇恩，累贈公太師，配封魯國夫人。淳熙初，公薨三十餘年矣，近臣及公叱苗、劉事，孝宗嘉嘆，特令定諡。其後有司以勤學好問曰文，應事有功曰敏，易公名。今公諸孫惟季子之子詤在典州，持節學，世其家。以公神道未碑，遠使來請，某久備史官，得公出處，故詳書而系以銘曰：『齊魯之間，儒學之淵。道閉賢隱，祥麟出焉。由漢迄唐，士多名世。公生盛朝，亦拔乎萃。其來儀儀，資適逢時。以文華國，天子所知。變起弗圖，公奮烈烈。面析群兇，我勇彼懾。籌幄既咨，義旗既麾。中外協力，乾清坤夷。倬彼宸章，粲若星日。告於萬邦，丕顯公蹟。上方用公，公曰歸歟！成功者天，寵則難居。燕處超然，道則深造。窮理盡性，庶其允蹈。生有自來，逝也名垂。刻詩道周，言何敢欺！』」是〈神道碑〉謂「所著《草堂前》、《後集》一百卷，行於世」，而《宋史》本傳亦云「有《草堂集》一百卷」，所載與〈神道碑〉同。

朱文公為之〈序〉。

案：朱熹《朱文公文集》卷七十六、〈雲龕李公文集序〉曰：「士君子所以立於斯世者，不難於文而難於實，不難於小而難於大，此吾所以每竊有感於參知政事、隴西文敏李公之文，而病世之所以知公者殊淺也。蓋自我宋之興百有餘年，累聖相承，專以文治。而其盛極於崇、觀、政、宣之間，一時學士大夫，執簡秉筆，專以文字相高，其所以歌詠泰平，藻飾治具者，雜然並出。如金石互奏，宮徵相宣，未有能優劣之者。而

李公以傑出之材，雍容其間，發大詔令，草大牋奏，富贍雄特，精能華妙，愈出而愈無窮，直將關眾俊之口，而奪之氣，斯已奇矣。然使公之所立，獨恃此而無其實；或徒規規然務為小廉曲謹，以投世俗之耳目，而其大者無稱焉，則亦何足以名於一世，而垂無窮哉！而公扈蹕臨安，適遭己酉三月五日之變。當是之時，一旦猝然事出非意，群公愕眙不知所以為策。公獨挺身赴難，神采毅然，折兇渠，喻以大義；退而陰贊宰府，為所以離貳逆黨，尊復明辟之計者甚悉。是以平賊之功，雖由外濟，而高宗皇帝察公之忠，首擢以為尚書左丞，而又賜之手札，至有『萬眾動色，具臣靦顏』之語，嗚呼！天地之間，理義之實，孰有大於君臣之際者。而公於是乃能竭其股肱之力，以有成功，是其所立，豈獨以其文而已哉？然公功成不居，退而老於江海之上，杜門終日，絕口不道前事，雖所以告其子弟者，亦常欿然退託，如有不足之意。是以世之君子鮮或知之。其所可考而必信者，獨賴聖謨神翰，炳若日星。是以天下之公論，至於久而後定耳！以是觀之，則世之獨以文字知公者，豈非淺哉？頃年，公孫故建康通守誼嘗以公之遺文屬熹為〈序〉，熹以不文，謹謝不敢。今年通守之弟齊安使君，又以為請。且曰：『訧之請非有他，獨願得一言以發明公之大節，使後世之知公者，不獨以其文而已爾！』熹於是乃敢拜受其書，而三復焉。因竊論其所感者如此，以附篇後。蓋公嘗受學於其世父右史樂靜先生，而樂靜之學又得之高郵孫中丞、眉山蘇承旨，其丁寧付授之意，今略見公所撰〈樂靜文集後語〉中，有本者固如是也。」可參證。

漢老，樂靜右史之姪。

案：樂靜，即李昭玘，字成季，濟南人。崇寧時入黨籍，居閑十五年，自號樂靜先生。《宋史》卷三百四十七三、〈列傳〉第一百六有傳。

五世祖濤，五代時宰相。

案：吳任臣《十國春秋》卷第六、〈吳〉六、〈列傳〉載：「李濤，趙州人。太祖時，署濤為牙將。秦彥之攻太祖也，軍勢甚盛，親校李宗禮言眾寡不敵，請堅壁自守，徐圖還師。濤時在行間，怒曰：『吾以順討逆，何論眾寡。大軍至此，去將安歸，濤願帥所部為前鋒，保為公破之。』太祖壯其志，多伏精兵為三覆以待之，卒破彥師，鹵獲無算。濤一言（之）

力也。天祐十年，充招討使，攻吳越于臨安，戰敗，被執。順義元年，復歸，授右雄武統軍，卒。」惟濤未任宰相。

石晉之亂，弟澣在翰林，陷于敵。 廣棪案：《文獻通考》作「陷於虜」。

案：《全唐文》卷八百六十一「李澣」條載：「澣字日新，仕後唐，歷集賢校理。入晉，累遷中書舍人。契丹入汴，陷塞北。宋建隆三年卒於契丹。」《全唐文》又載澣〈與兄濤言契丹述律事書〉，曰：「今王驕駿，唯好擊鞠，耽於內寵，固無四方之志。觀其事勢，不同已前。親密貴臣，尚懷異志，即微弱可知，不敢備奏。一則煩文，一則恐涉為身計。大好乘其亂弱之時，計亦易和。若辦得來討唯速，若且和亦唯速，將來必不能力為可柬也。」可參證。是澣雖陷敵，而心在晉也。

及邴立節于建炎，而其弟鄴守會稽， 廣棪案：《文獻通考》無「其」字。**亦隨金人北去，世以為異。**

案：《宋史》邴本傳載：「（紹興三年）會兄鄴失守越州，坐累落職。明年，即引赦復之，又升資政殿學士。」未能考悉鄴為兄為弟。考丁傳靖《宋人軼事彙編》卷十四載：「李鄴歸自賊壘，盛談賊強我弱，謂：『賊人如虎馬如龍，上山如猿，入水如獺。其勢如泰山，中國如累卵。』時人號為『六如給事。』」《宋人傳記資料索引》載：「李鄴，累官給事中，嘗充通問金國使，見金勢之盛，心懷叛意，形於言表。建炎三年四月除知紹興府，十二月即降金。」據是，則鄴叛國降敵，遠非邴之比也。

龜谿集十二卷

《龜谿集》十二卷，知樞密院忠敏吳興沈與求必先撰。

廣棪案：《宋史》卷二百八、〈志〉第一百六十一、〈藝文〉七、〈別集類〉著錄：「沈與求《龜溪集》十二卷。」與此同。劉一止《苕溪集》卷三十、〈知樞密院事沈公行狀〉謂「有《文集》二十卷」，疑誤。與求字必先，湖州德清人。紹興七年，除同知樞密院事。《宋史》卷三百七十二、〈列傳〉第一百三十一有傳。

建炎、紹興之間，歷三院、翰苑以至執政。

案：《宋史》與求本傳載：「與求歷御史三院，知無不言，前後幾四百奏，

其言切直,自敵己已下有不能堪者。上時有所訓敕,每曰:『汝不識沈中丞邪?』移吏部尚書兼權翰林學士兼侍讀,遂出爲荊湖南路安撫使、知潭州。引疾丏祠,許之。(紹興)四年,出知鎮江府兼兩浙西路安撫使。復以吏部尚書召,除參知政事。」可參證。

嘗奏言王安石之罪,大者在于取揚雄、馮道,當時學者惟知有安石,喪亂之際,甘心從偽,無仗節死義之風,實安石倡之。此論前未之及也。

案:《宋元學案補遺》卷三十五、〈陳鄒諸儒學案補遺·苕溪師承〉「忠敏沈公與求」條載:「沈與求字必先,德清人。及政和五年進士第,授濮陽軍學教授,改常州,歷除侍御史。上嘗從容言王安石之罪在行新法。對曰:『人臣立朝,未論行事之是非,先觀心術之邪正。安石于漢則取揚雄,于五代則取馮道,臣以是知其心術不正,則姦偽百出,僭亂之萌,實由此起。自熙寧、元豐以來,士皆宗安石之學,沈溺其說,節義彫喪,馴致靖康之禍。污偽賣國,一時叛逆尚逭典刑,願明正其罪,以戒爲臣不忠者。』在言路四年,凡所論列,不避權要,頗忤時宰意。累除參知政事,遷知樞密院事,卒。有《文集》二十卷、《奏議》三十卷。劉一止從之游,踰三十年。其卒也,爲之狀其行。《劉苕溪集》。」可參證。《四庫全書總目》卷一百五十七、〈集部〉十、〈別集類〉十著錄:「《龜溪集》十二卷,兩淮鹽政採進本。宋沈與求撰。陳振孫《書錄解題》曰:『與求嘗奏王安石之罪,大者在於取揚雄、馮道。當時學者惟知有安石。喪亂之際,甘心從偽,無仗節死義之風,實安石倡之。此論前未之及也。』云云。考熙寧以逮政和,王、蔡諸人以權勢奔走天下。誅鋤善類,引披宵人。其夤緣以苟富貴者,本無廉恥之心,又安能望以名節之事。其偷生賣國,實積漸使然,不必盡由於推獎揚雄,表章馮道。與求此奏,亦事後推索之詞。然其說主持風教,振刷綱常,要不可不謂之偉論也。至其制誥諸篇,典雅舂容,亦具有唐人軌度,又不徒以奏議見長矣!」亦可參考。

紹興七年終于位。

案:《宋史》與求本傳載:「(紹興)七年,上在平江,召見,除同知樞密院事;從至建康,遷知樞密院事。薨,贈左銀青光祿大夫,諡忠敏。」可參證。

胡忠獻集十卷

《胡忠獻集》六十卷，_{館臣案：《文獻通考》題《胡承公集》十卷、《資古紹志集》}
_{十卷。}端明殿學士晉陵胡世將承公撰。_{廣棪案：《文獻通考》無此句。}

　　廣棪案：《郡齋讀書志》卷第十九、〈別集類〉下著錄：「《胡承公集》十
　　卷、《資古紹志集》十卷。」《宋史》卷二百八、〈志〉第一百六十一、〈藝
　　文〉七、〈別集類〉著錄：「《胡世將集》十五卷，又《忠獻胡公集》六十
　　卷。」所著錄卷數與《解題》有異有同。世將字承公，常州晉陵人。紹
　　興十年，詔除端明殿學士。《宋史》卷三百七十三、〈列傳〉第一百二十
　　九有傳。

文恭公宿之曾孫。

　　案：《宋史》世將本傳載：「胡世將字承公，常州晉陵人。宿之曾孫。」
　　考宿字武平，常州晉陵人。卒諡文恭。《宋史》卷三百一十八、〈列傳〉
　　第七十七有傳。

以兵部侍郎為川陝副宣，_{廣棪案：盧校注：「『陝』即『峽』字，非陝西。」}
_{然《宋史》正作「川、陝」，疑盧氏誤。}金人敗盟，_{廣棪案：《文獻通考》「金人」}
_{作「金虜」。}繼吳玠之後，經畫守禦，以迄和議再成，分疆未定，死于
河池。

　　案：《宋史》世將本傳載：「未幾，召為給事中兼侍講，直學士院，復遷
　　兵部侍郎。尋以樞密直學士出為四川安撫、制置使，兼知成都府。宣撫
　　吳玠以軍無糧，奏請踵至。世將既被命入境，約玠會議。蜀之饟運，遡
　　嘉陵江千餘里，半年始達。於是奏用轉般摺運之法，軍儲稍充，公私便
　　之。紹興九年，玠卒，以世將為寶文閣學士、宣撫川、陝。時關陝初復，
　　朝廷分軍移屯熙、秦、鄜延諸道。明年夏，金人陷同州，入長安，諸路
　　皆震。蜀兵既分，聲援幾絕，乃遣大將吳璘、田晟出鳳翔，郭浩出奉天，
　　楊政由赤谷歸河池。不數日，璘捷于石壁及扶風，金人逡巡不敢度隴，
　　分屯之軍得全師而還。詔除端明殿學士。十一年秋，朝廷復用兵。會母
　　喪，命起復。遂復隴州，破岐下諸屯，又取華、虢，兵威稍振。未幾，
　　瘍發於首。除資政殿學士致仕，恩數視簽書樞密院事。卒，年五十八，
　　命有司給葬事。」可參證。

世將好古博雅，有《資古紹志錄》，倣《集古錄》，_{廣校案：《文獻通考》「倣」}作「效」。**跋尾亦見《集》中。謚忠獻。**_{館臣案：「謚忠獻」句原本脫去，今據}《文獻通考》增入。　廣校案：元抄本、盧校本亦無「謚忠獻」。

> 案：《郡齋讀書志》卷第十九、〈別集類〉下著錄：「《胡承公集》十卷、《資古紹志集》十卷。右皇朝胡世將字承公。中進士科。早受知晁無咎。建炎南渡，嘗直學士院，終於資政殿學士、川陝宣撫使。爲文敏贍溫雅，掌書命，頗有能聲。喜聚金石刻，效歐公《集古錄》爲《資古紹志集》，〈序〉云：「以成其先人之志，故以『紹志』目其書。」可參證。

胡文定公武夷集十五卷

《胡文定公武夷集》十五卷，_{廣校案：元抄本無「公」字。}**給事中崇安胡安國康侯撰。**

> 廣校案：《讀書附志》卷下、〈別集類〉二著錄：「胡文定公《武夷集》十五卷。」與此同。《宋史》卷二百八、〈志〉第一百六十一、〈藝文〉七、〈別集類〉著錄：「胡安國《武夷集》二十二卷。」惟《宋史》安國本傳亦謂「有《文集》十五卷」，疑《宋志》誤也。安國字康侯，建寧崇安人。高宗即位，以給事中召，卒謚文定。《宋史》卷四百三十五、〈列傳〉第一百九十四、〈儒林〉五有傳。

紹聖四年進士第三人。

> 案：《宋史》安國本傳載：「胡安國字康侯，建寧崇安人。入太學，以程頤之友朱長文及潁川靳裁之爲師。裁之與論經史大義，深奇重之。三試于禮部，中紹聖四年進士第。初，廷試考官定其策第一，宰職以無詆元祐語，遂以何昌言冠，方天若次之，又欲以宰相章惇子次天若。時發策大要崇復熙寧、元豐之制，安國推明《大學》，以漸復三代爲對。哲宗命再讀之，注聽稱善者數四，親擢爲第三。爲太學博士，足不躡權門。」可參證。

仕四十年，實歷不及三載。

> 案：《宋史》安國本傳載：「安國彊學力行，以聖人爲標的，志於康濟

時艱。見中原淪沒，遺黎塗炭，常若痛切於其身。雖數以罪去，其愛
君憂國之心遠而彌篤，每有君命，即置家事不問。然風度凝遠，蕭然
塵表，視天下萬物無一足以嬰其心。自登第迄謝事，四十年在官，實
歷不及六載。」考《宋元學案補遺》卷三十四、〈武夷學案・朱軒門人〉
「文定胡武夷先生安國・附錄」載：「先生風度凝遠，蕭然塵表。自登
第逮休致，凡四十年，實歷仕之日不及六載。雖數以罪去，而愛君之
心，遠而愈篤。每被召，即置家事不問，或通夕不寐，思所以告君者。
然宦情如寄，泊如也。」是安國仕四十年，實歷不及六載，而非三載，
疑《解題》誤。

著《春秋傳》，行于世。

案：《宋史》安國本傳載：「（紹興）五年，除徽猷閣待制、知永州，安國
辭。詔以經筵舊臣，重閔勞之，特從其請，提舉江州太平觀，令纂修所
著《春秋傳》。書成，高宗謂深得聖人之旨，除提舉萬壽觀兼侍讀。」
是此書乃奉高宗令纂修成者。《解題》卷三、〈春秋類〉著錄：「《春秋傳》
三十卷、《通例》一卷、《通旨》一卷，徽猷閣待制建安胡安國康侯撰。
紹興中經筵所進也。事按《左氏》義，採《公》、《穀》之情，大綱本《孟
子》，而微旨多以程氏之說爲證。近世學《春秋》者皆宗之。《通旨》者，
所與其徒問答及其他議論條例，凡二百餘章，其子寧輯爲一書。」可知
此書梗概。

**本喜爲文，後篤志于學，乃不復作。其辭召試，曰：「少習藝文，不稱
語妙。晚捐華藻，纔取理明。既覺昨非，更無餘習。」故其《文集》止
此。**

案：《讀書附志》卷下、〈別集類〉三著錄：「胡文定公《武夷集》十五卷。
右胡文定公安國之文也。公之子太常丞寧輪對奏事，上問：『乃公既解釋
《春秋》，尚當有他論著，其具以進。』徽猷閣直學士、左承議郎致仕寅
遂表上之。安國，字康侯，建之崇安人。中紹聖四年進士第，終于寶文
閣直學士，諡文定。」是此書僅十五卷，安國長子寅表上時已如此。《宋
志》作二十二卷，誤也。

毗陵集五十卷

《毗陵集》五十卷，參政文靖毗陵張守全真撰。廣棪案：《文獻通考》「文靖」作「文清」，誤。一字子固。館臣案：「子固」原本作「子同」，誤。今據《宋史》本傳改正。　廣棪案：《文獻通考》作「文同」，盧校本同。

> 廣棪案：《宋史》卷二百八、〈志〉第一百六十一、〈藝文〉七、〈別集類〉著錄：「《張守集》五十卷。」與此同。守字子固，常州晉陵人。紹興四年五月除參知政事，卒諡文靖。《宋史》卷三百七十五、〈列傳〉第一百三十四有傳。毗陵即常州晉陵。

崇寧進士、詞科。

> 案：《宋史》守本傳載：「張守字子固，常州晉陵人。家貧無書，從人假借，過目輒不忘。登崇寧元年進士第，中詞學兼茂科。」可參證。

紹興執政，張魏公在相位，薦秦檜再用，守有力焉。一日，與魏公言：「某誤公聽，今朝夕同班列，得款曲，其人似以曩者一跌為戒，有患失心，宜自劾謝上。」魏公為作〈墓志〉，著其語。

> 案：張魏公即張浚，浚封魏國公。《宋史》守本傳載：「守嘗薦秦檜於時宰張浚，及檜為樞密使，同朝。一日，守在省閣執浚手曰：『守前者誤公矣。今同班列，與之朝夕相處，觀其趨向，有患失之心，公宜力陳於上。』」可參證。

張章簡華陽集四十卷

《張章簡華陽集》四十卷，參政金壇張綱彥正撰。

> 廣棪案：《四庫全書總目》卷一百五十六、〈集部〉九、〈別集類〉九著錄：「《華陽集》四十卷，兩江總督採進本。宋張綱撰。」即此書。綱字彥正，潤州丹陽人。高宗時除參知政事。卒，初諡文定，吏部尚書汪應辰論駁之，孫釜再請，特賜曰章簡。《宋史》卷三百九十、〈列傳〉第一百四十九有傳。金壇即潤州丹陽。

大觀中舍法，三中首選，釋褐承事郎，辟雍正，蓋專于新學者。

> 案：《宋史》綱本傳載：「張綱字彥正，潤州丹陽人。入太學，以上舍及第。釋褐，徽宗知綱三中首選，特除太學正，遷博士，除校書郎。」可參證。

紹興初，在瑣闥忤張俊求去，復與秦隙，遂引年。秦亡乃召用。乾道初，年八十四而終。

案：《宋史》綱本傳載：「宣撫使張俊駐師九江，遣營卒以書至瑞昌，縣令郭彥章揣知卒與獄囚通，乃械繫之。俊愬于朝，彥章坐免。綱言：『近時州縣吏多獻諛當路，彥章不隨流俗，是能奉法守職，今不獎而黜，何以示勸？』除給事中。侍御史魏矼劾綱，提舉太平觀。進徽猷閣待制，引年致仕。秦檜用事久，綱臥家二十年，絕不與通問。檜死，召爲吏部侍郎兼侍讀。……除參知政事。高宗頻諭輔臣寬恤民力，蓋懲秦檜苛政，期安黎庶。綱乃摘其切於利民八十事，標以大指，乞鏤版宣布中外，於是人皆昭知上德意。告老，以資政殿學士知婺州，尋致仕。高宗幸建康，綱朝行宮。孝宗登極，召綱陪祀南郊，以老辭不至，詔嘉之，命所在州郡恆存問，仍賜羊酒，卒，年八十四。」可參證。

自號華陽老人。「華陽」者，茅山也。

案：《宋人傳記資料索引》載：「張綱（1083～1166），字彥正，一字彥政，晚號華陽老人。丹陽人。」考《中國古今地名大辭典》載：「茅山，在江蘇句容縣東南四十五里，跨金壇縣界，即句曲山。漢茅盈與弟衷、固自咸陽來，得道於此，世號三茅君。因名山曰茅山，亦稱三茅山。大茅峰有華陽洞。即三茅君所得道處。」是綱號華陽老人，蓋以茅山華陽洞而得名。

非有齋類藁五十卷

《非有齋類藁》五十卷，給事中吳興劉一止行簡撰。

廣棪案：《宋史》卷二百八〈志〉、第一百六十一、〈藝文〉七、〈別集類〉著錄：「《劉一止集》五十卷，《苕溪集》多五卷，張攀《書目》以此本爲《非齋類藁》。」可參證。一止字行簡，湖州歸安人。高宗時除給事中。《宋史》卷三百七十八、〈列傳〉第一百三十七有傳。其〈傳〉亦載「有《類藁》五十卷」。

宣和三年進士。

案：《宋史》一止本傳載：「劉一止字行簡，湖州歸安人。七歲能屬文，試太學，有司欲舉八行，一止曰：『行者士之常。』不就。登進士第，爲越州教授。」《宋史》未明載登第之年。考韓元吉《南澗甲乙稿》卷二十

二、〈行狀‧敷文閣直學士左朝奉郎致仕劉公行狀〉載：「曾祖昕，贈尚書刑部侍郎；祖逢，太子中允，贈左光祿大夫；父撫，贈右太中大夫，母王氏贈太碩人。公諱一止，字行簡，湖州歸安人。曾大父而降，世以儒學名家。伯祖述，以直道清節事神宗，爲知雜御史，疏新法得罪者也。御史之子握，年十八，登進士第，至龍舒守。見公尙幼，趣于前命賦詩，操牘立就，語奇出，舒州撫而嘆：『此異童子，吾宗其興。』既公舉進士，又少于舒州四歲。未冠，試太學，屢先多士，稱聲籍甚。丁內外艱，跣哭就道，見者爲感動。家貧力葬無遺禮，有司欲以公應八行選，公曰：『行者士之常也。』謝不就。宣和三年，始獲奏名禮部，唱第廷中。少年朋從多以貴顯，至公名，莫不舉笏相慶，公視之泊如也。」是一止登進士第在宣和三年。

居瑣闥僅百餘日，忤秦檜罷去。閒居十餘年，以次對致仕。檜死。被召，力辭，進雜學士而終，年八十二，實紹興庚辰。

案：《宋史》一止本傳載：「居瑣闥百餘日，繳奏不已，用事者始忌，奏：『一止同周葵薦呂廣問，迎合李光。』罷，提舉江州太平觀。進敷文閣待制。御史中丞何若奏：『一止朋附光，偃蹇慢上。』落職，罷祠。後八年，請老，復職，致仕。秦檜死，召至國門，以病不能拜，力辭，進直學士，致仕。卒年八十三。」所記卒年與《解題》不同。考韓元吉所撰〈劉公行狀〉載：「紹興三十年十二月初四日以疾終于家，享年八十有三。」紹興三十年（1160），歲次庚辰，《宋史》所記蓋據〈行狀〉也。

竹西集十卷、西垣集五卷

《竹西集》十卷、《西垣集》五卷，兵部侍郎維揚王居正剛中撰。

廣棪案：《宋史》卷二百八、〈志〉第一百六十一、〈藝文〉七、〈別集類〉著錄：「汪居正《竹西文集》十卷。」「王」誤作「汪」，又闕載《西垣集》五卷。《宋元學案》卷二十五、〈龜山學案‧龜山門人〉「待制王竹西先生居正」條曰：「先生他所著書有《春秋本義》十二卷、《竹西論語感發》十卷、《孟子疑難》十四卷、《竹西集》十卷、《西垣集》五卷、《兵民條例》一卷。」與《解題》同。居正字剛中，揚州人。高宗時曾除兵部侍郎。《宋史》卷三百八十一、〈列傳〉第一百四十有傳。

宣和三年進士

案：《宋元學案》「待制王竹西先生居正」條載：「在太學見知于司業建安黃齊，已而齊同知貢舉，始登宣和三年進士。」可參證。

紹興初入詞掖。

案：《宋史》居正本傳載：「中書舍人劉大中侍帝，論制誥，帝（指高宗）曰：『王居正極得詞臣體。』」是居正入詞掖，嘗掌制誥之證。

《西垣集》者，制草及繳章也。其篇目，凡繳章皆云「封還詞頭」，蓋其子孫編次者之失也，除授則有詞頭，政刑庶事，何詞頭之有？

案：詞頭者，朝廷命詞臣撰擬詔敕時所作之摘由或提要。白居易〈中書寓直詩〉云：「病對詞頭慚彩筆，老看鏡面愧華簪。」宋時擬除授之制則須詞頭，政刑庶事則否也。

張巨山集三十卷

《張巨山集》三十卷，中書舍人光化張嵲巨山撰。

廣棪案：《宋史》卷二百八、〈志〉第一百六十一、〈藝文〉七、〈別集類〉著錄：「張嵲《紫微集》三十卷。」與《解題》為同一書。嵲字巨山，襄陽人。紹興十年除中書舍人。《宋史》卷四百四十五、〈列傳〉第二百四、〈文苑〉七有傳。光化即襄陽。

嵲為司勳郎官，金人再取河南，秦相惶恐，廣棪案：《文獻通考》作「皇恐」。上章引伊尹「善無常主」及周任「不能者止」之文以自解：嵲之筆也。秦德之，遂擢修注掌制，而其具藁倉卒，誤以伊尹告太甲為告湯，及周任之言為孔子自言，時祕書省寓傳法寺，有書其門曰：「周任為孔聖，太甲作成湯」，秦疑諸館職為之，多被逐。然嵲亦以答檜「三折肱」之語，謂其貳于己，無幾亦罷。

案：《宋史》嵲本傳載：「（紹興）九年，除司勳員外郎，兼實錄院檢討官。金人叛盟，上命兩省、卿、監、郎、曹各草檄以進，獨取嵲所進者，播之四方。十年，擢中書舍人，升實錄院同修撰。」可參證。金人叛盟在紹興十年。

默成居士集十五卷

《默成居士集》十五卷，中書舍人潘良貴子賤撰。一字義榮。

廣棪案：《宋史》卷二百八、〈志〉第一百六十一、〈藝文〉七、〈別集類〉
著錄：「《潘良貴集》十五卷。」與此同。良貴字子賤，婺州金華人。高
宗時除中書舍人。《宋史》卷三百七十六、〈列傳〉第一百三十五有傳，
亦云「僅存雜著十五卷，新安朱熹爲之〈序〉」。

剛介之士也。

案：《宋史》良貴本傳載：「良貴剛介清苦，壯老一節。爲博士時，王黼、
張邦昌俱欲妻以女，拒之。晚家居貧甚，秦檜諷令求郡，良貴曰：『從
臣除授合辭免，今求之於宰相，辭之於君父，良貴不敢爲也。』」可參
證。

朱侍講序其《集》，略見其出處大致。

案：《朱文公文集》卷七十六、〈金華潘公文集序〉曰：「公自宣和初爲博
士，則已不肯託昏富貴之家，而獨嘗論斥大臣蒙蔽之姦。及爲館職，又
不肯游蔡京父子門。使淮南，又不肯與中官同燕席。靖康召對，因論時
宰何㮚、唐恪不可用，恐誤國事。以是謫去。不旋踵而言果驗。建炎初，
召爲右司諫，首論亂臣逆黨當用重典，以正邦法，壯國威，且及當時用
事者姦邪之狀，大爲汪、黃所忌。書奏三日，而左遷以去。紹興入爲都
司，又忤時相以歸。復爲左史，直前奏事，明大公至正之道。服喪還朝，
又以廷叱奏事官，而忤旨以去。自是之後，秦檜擅朝，則公遂廢於家，
而不復起矣。然公平生廉介自持，自少至老，出入三朝，而前後在官不
過八百六十餘日。所居僅庇風雨，郭外無尺寸之田，經界法行，獨以邱
墓之寄，輸帛數尺而已。其清苦貧約，蓋有人所不堪者，而處之超然，
未嘗少屈於檜。其子熹暴起鼎貴，勢傾內外，亦未嘗與通問也。嘗誦君
子三戒之言，而深以志得之規，痛自儆飭。至於造次之閒，一言一行，
凡所以接朋友，教子弟，亦未嘗不以孝弟、忠敬、節儉、正直、防微、
謹獨之意爲本，其讀書磨鏡之喻，切中學者之病，當世蓋多傳之。而所
論汲長孺、蓋寬饒之爲人，尤足以見其志之所存也。嗚呼！若公之清明
直諒，確然亡慾，其眞可謂剛毅而近仁矣。夫以三代之時，聖人之世，
而夫子已歎剛者之不可見，況於百世之下，幸有如公者焉，而不得少申

其志以沒。其條奏草稿，有補於時，可爲後法者，又以公自焚削而不復存。其平生之言頗可見者，獨有賦詠筆札之餘數十百篇而已。後之君子蓋將由此以論公之事，其可使之沒沒無傳而遂已乎！」眞可見良貴之出處大致矣。

默堂集二十二卷

《默堂集》二十二卷，_{館臣案：《文獻通考》作二十卷。} 廣棪案：《文獻通考》亦作二十二卷，館臣誤。宗正少卿延平陳淵知默撰。

　　廣棪案：《宋史》卷二百八、〈志〉第一百六十一、〈藝文〉七、〈別集類〉著錄：「《陳淵集》二十六卷。」卷數與《解題》不同。《四庫全書總目》卷一百五十八、〈集部〉十一、〈別集類〉十一著錄：「《默堂集》二十二卷，_{浙江鮑士恭家藏本。}宋陳淵撰。……《宋史·藝文志》載淵《集》二十六卷，《詞》三卷。此本止二十二卷，未知傳寫脫佚，或《宋史》字誤。」證之《解題》，疑《宋史》字誤。淵字知默，南劍州沙縣人。高宗時除宗正少卿。《宋史》卷三百七十六、〈列傳〉第一百三十五有傳。延平即南劍州。

一字幾叟。

　　案：《宋元學案》卷三十八、〈默堂學案·程楊門人〉「御史陳默堂先生淵」條載：「陳淵字知默，南劍州沙縣人。初名漸，字幾叟。」《四庫全書總目》「《默堂集》二十二卷」條著錄：「淵字知默，一字幾叟，沙縣人。」均可參證。

了翁之姪孫，

　　案：陳瓘字了翁。《宋史》淵本傳載：「陳淵字知默，南劍州沙縣人也。紹興五年，給事中廖剛、中書舍人胡寅、朱震、權戶部侍郎張致遠言：『淵乃瓘之諸孫，有文有學，自瓘在時，器重特甚，垂老流落，負材未試。』充樞密院編修官。會李綱以前宰相爲江南西路安撫制置大使，辟爲制置司機宜文字。」考《宋元學案》卷三十八「御史陳默堂先生淵」條載：「雲濠案：《忠肅言行錄》附載〈默堂先生行實〉云：『忠肅公之從孫也。』楊誠齋序先生《集》，作『猶子』，誤。」忠肅，陳瓘謚。《四

庫全書總目》「《默堂集》二十二卷」條亦曰：「楊萬里序稱爲瓘之猶子，而《集》乃自稱瓘之姪孫。疑萬里筆誤也。」是淵爲了翁之姪孫。楊龜山門人，《宋元學案》卷三十八、〈默堂學案・默堂學案序錄〉載：「祖望謹案：龜山弟子徧天下，默堂以愛壻爲首座。」又同書「御史陳默堂先生淵」條載：「早年從學二程，<small>梓材案：此所謂二程，蓋亦指伊川而言。</small>後學于龜山。……先生爲龜山之壻，卒能傳龜山之學。學者稱之爲默堂先生。」可參證。

紹興初嘗爲諫官。

案：《宋史》淵本傳載：「<small>（紹興）</small>七年，詔侍從舉直言極諫之士，胡安國以淵應。召對，改官，賜進士出身。九年，除監察御史，尋遷右正言。」可參證。

筠谿集二十四卷

《筠谿集》二十四卷，戶部侍郎連江李彌遜似之撰。<small>館臣案：「遜」原本作「聖」，《文獻通考》作「遠」，俱誤。今據《宋史》改正。　廣棪案：元抄本亦作「遜」。</small>

廣棪案：《宋史》卷二百八、〈志〉第一百六十一、〈藝文〉七、〈別集類〉著錄：「李彌遠《筠溪集》二十四卷。」《宋志》「遠」字筆誤。彌遜字似之，蘇州吳縣人。紹興七年試戶部侍郎。《宋史》卷三百八十二、〈列傳〉第一百四十一有傳。考彌遜本吳縣人，《攻媿集》卷五十二、〈序・筠溪文集序〉謂彌遜「請祠以歸，隱福之連江西山，凡十六年，不復有仕宦意」，直齋殆誤以爲連江人。

大觀三年上舍第一。

案：《攻媿集・筠溪文集序》曰：「弱冠，遂爲大觀三年上舍第一人。」《宋史》彌遜本傳亦謂：「弱冠，以上舍登大觀三年第。」可參證。

知冀州，能抗金敵。<small>廣棪案：《文獻通考》作「金賊」。</small>

案：《攻媿集・筠溪文集序》曰：「宣和末，知冀州，獨能堅壁以抗強敵。」《宋史》彌遜本傳載：「宣和末，知冀州。金人犯河朔，諸郡皆警備，彌遜損金帛，致勇士，修城堞，決河護塹，邀擊其遊騎，斬首甚眾。兀朮北還，戒師毋犯其城。」可參證。

攝江東帥，與李忠定平周德之亂。廣椒案：《文獻通考》脫「李」字。

案：李忠定，李綱也。《攻媿集・筠溪文集序》曰：「靖康初，漕江東，平叛卒之變。」《宋史》彌遜本傳載：「靖康元年，召爲衛尉少卿，出知瑞州。二年，建康府牙校周德叛，執帥宇文粹中，殺官吏，嬰城自守，勢猖獗。彌遜以江東判運領郡事，單騎扣賊閫，以蠟書射城中招降。賊通款，開關迎之，彌遜諭以禍福，勉使勤王。時李綱行次建康，共謀誅首惡五十人，撫其餘黨，一郡帖然。」可參證。

晚爲從官，沮和議，坐廢而終。

案：《攻媿集・筠溪文集序》曰：「又以力闢和議，益與時忤。遷戶籍，丐外補。去國之際，猶拳拳以立國待夷狄之大計爲言，竟請祠以歸。隱福之連江西山凡十六年，不復有仕宦意。」《宋史》彌遜本傳載：「秦檜再相，惟彌遜與吏部侍郎晏敦復有憂色。(紹興)八年，彌遜上疏乞外甚力，詔不允。趙鼎罷相，檜專國，贊帝決策通和。金國遣烏陵思謀等入界，索禮甚悖，軍民皆不平，人言紛紛。檜於御榻前求去，欲要決意屈己從和。樞密院編修官胡銓上疏乞斬檜，校書郎范如圭以書責檜曲學背師，忘讎辱國。禮部侍郎曾開抗聲，引古誼以折檜，相繼貶逐。彌遜請對，言金使之請和，欲行君臣之禮，有大不可。帝以爲然，詔廷臣大議，即日入奏。彌遜手疏力言：『陛下受金人空言，未有一毫之得，乃欲輕祖宗之付託，屈身委命，自同下國而尊奉之，倒持太阿，授人以柄，危國之道，而謂之和，可乎？借使金人姑從吾欲，假以目前之安，異時一有無厭之求，意外之欲，從之則害吾社稷之計，不從則釁端復開，是今日徒有屈身之辱，而後患未已。』又言：『陛下率國人以事讎，將何以責天下忠臣義士之氣？』力陳不可者三。檜嘗邀彌遜至私第，曰：『政府方虛員，苟和好無異議，當以兩地相浼。』答曰：『彌遜受國恩深厚，何敢見利忘義。顧今日之事，國人皆不以爲然，獨有一去可報相公。』檜默然。次日，彌遜再上疏，言愈切直，又言：『送伴使揣摩迎合，不恤社稷，乞別選忠信之人，協濟國事。』檜大怒。彌遜引疾，帝諭大臣留之。時和議已決，附會其說者，至謂『向使明州時，主上雖百拜亦不問』，議論靡然。賴彌遜廷爭，檜雖不從，亦憚公論。再與金使者計，議和不受封冊，如宰相就館見金使，受其書納入禁中，多所降殺，惟君臣之禮不得盡爭。

九年春，再上疏乞歸田，以徽猷閣直學士知端州，改知漳州。十年，歸隱連江西山。是歲，兀朮分四道入侵，明年，又侵淮西，取壽春，竟如彌遜言。十二年，檜乘金兵既敗，收諸路兵，復通和好，追仇向者盡言之臣，嗾言者論彌遜與趙鼎、王庶、曾開四人同沮和議。於是彌遜落職，十餘年間不通時相書，不請磨勘，不乞任子，不序封爵，以終其身，常憂國，無怨懟意。二十三年，卒。朝廷思其忠節，詔復敷文閣待制。」可參證。

鄱陽集十卷

《鄱陽集》十卷，徽猷閣直學士鄱陽洪皓光弼撰。

廣棪案：《宋史》卷二百八、〈志〉第一百六十一、〈藝文〉七、〈別集類〉著錄：「《洪皓集》十卷。」與此同。皓字光弼，番易人。紹興十二年除徽猷閣直學士。《宋史》卷三百七十三、〈列傳〉第一百三十二有傳。

皓奉使金國，廣棪案：《文獻通考》作「金虜」。守節不屈。既歸，為秦所忌，謫英州。死之日與秦適相先後。

案：《宋史》皓本傳載：「皓自建炎己酉出使，至是還，留北中凡十五年。同時使者十三人，惟皓、邵、弁得生還，而忠義之聲聞于天下者，獨皓而已。皓既對，退見秦檜，語連日不止，曰：『張和公金人所憚，乃不得用。錢塘暫居，而景靈宮、太廟皆極土木之華，豈非示無中原意乎？』檜不懌，謂皓子适曰：『尊公信有忠節，得上眷。但官職如讀書，速則易終而無味，須如黃鐘、大呂乃可。』八月，除徽猷閣直學士、提舉萬壽觀兼權直學士院。金人來取趙彬等三十人家屬，詔歸之。皓曰：『昔韓起謁環于鄭，鄭，小國也，能引義不與。金既限淮，官屬皆吳人，宜留不遣，蓋慮知其虛實也。彼方困於蒙兀，姑示強以嘗中國，若遽從之，謂秦無人，益輕我矣。』檜變色曰：『公無謂秦無人。』既而復上疏曰：『恐以不與之故，或致渝盟，宜告之曰：「俟淵聖及皇族歸，乃遣。」』又言：『王倫、郭元邁以身徇國，棄之不取，緩急何以使人？』檜大怒，……翌日，侍御史李文會劾皓不省母，出知饒州。……尋居母喪，他言者猶謂皓晬眄鈞衡。終喪，除饒州通判。李勤又附檜誣皓作欺世飛語，責濠州團練副使，安置英州。居九年，始復朝奉郎，徙袁州，至南雄州卒，

年六十八。死後一日，檜亦死。帝聞皓卒，嗟惜之，復敷文閣直學士，贈四官。久之，復徽猷閣直學士，謚忠宣。」可參證。

三子登詞科，俱貴顯。 廣校案：《文獻通考》作「俱顯貴」。

案：《宋史》皓本傳載：「子适、遵、邁。适字景伯，皓長子也。幼敏悟，日誦三千言。皓使朔方，适年甫十三，能任家事。以皓出使恩，補修職郎。紹興十二年，與弟遵同中博學宏詞科。高宗曰：『父在遠方，子能自立，此忠義報也，宜升擢。』遂除敕令所刪定官。後三年，弟邁亦中是選，由是三洪文名滿天下。改祕書省正字。」可參證。

東窗集四十卷

《東窗集》四十卷，中書舍人鄱陽張廣彥實撰。與呂居仁為詩友。

廣校案：《宋史》卷二百八、〈志〉第一百六十一、〈藝文〉七、〈別集類〉著錄：「張彥實《東窗集》四十卷，《詩》十卷。」與此同。彥實名擴，《解題》作「廣」，誤。擴，《宋史》無傳。《宋人傳記資料索引》載：「張擴（？～1147）字彥實，一字子微，德興人。崇寧五年進士，累遷祕書省校書郎。南渡後，歸中書舍人，擢左史，掌外制。擴始因秦檜得進，假草制以貢媚。然擴所交游，如曾愭、朱翌、呂本中輩，皆一時勝流，切劘有素，故詞采清麗，斐然可觀。紹興十七年卒，有《東窗集》。」可參證。鄱陽即德興。居仁，呂本中字。潛說友《咸淳臨安志》卷九十一、〈紀遺〉三、〈紀事〉載：「張彥實擴，番陽人，子公參政大父行，有《東窗集》，行于世。自知廣德軍，秩滿造朝，除著作佐郎。秦會之當軸，其兄楚材為祕書少監，約彥實觀梅子西湖。楚材有詩，彥實次其韻云：『天上新驂寶輅回，看花仍趁雪霙開。折歸忍負金蕉葉，笑插新臨玉鏡臺。女堞未須翻角調，錦囊先喜助詩材。少蓬自是調羹手，葉底應尋好句來。』時楚材再婚，故及玉鏡臺事。會之見之，大稱賞。曰：『旦夕當以文字官相處。』遂擢左史，再遷而掌外制。楊原仲並居西掖，代言多彥實與之潤色，初亦無他。彥寔偶戲成〈二毫筆絕句〉云：『包羞曾借虎皮蒙，筆陣仍推兔作鋒。未用吹毛強分別，即今同受管城封。』原仲以為誚已，大怒，愬于會之。訛言路彈之，彥實以本官罷為宮祠。謝表云：『雖造化之有生有殺，本亦何心；然臣下之或賞或刑，咸其自取。』」可參考。

其在西掖，當紹興十一年。

案：唐圭璋《全宋詞》「張擴」條載：「《樂府雅詞》云張彥實智宗。《詞綜補遺》以爲即張擴。擴字彥實，一字子微，德興人。崇寧五年（1106）進士。南渡後，歷知廣德軍、著作佐郎、祠部員外郎、禮部員外郎。紹興十一年（1141），起居舍人。十二年（1142），起居郎，權中書舍人。十三年（1143），提舉江州太平觀。十七年（1147）卒。」據是，則擴紹興十一年除起居舍人，在西掖。

雲谿集略八卷

《雲谿集略》八卷，汝陰王銍性之撰。

廣棪案：《宋詩紀事》卷四十三「王銍」條載：「銍字性之，汝陰人，自稱汝陰老民。南渡寓居剡中。建炎初，爲樞密院編修官，有《雲溪集》。」可參證。銍，《宋史翼》卷二十七、〈列傳〉第二十七、〈文苑〉二有傳。考《四庫全書總目》卷一百五十八、〈集部〉十一、〈別集類〉十一著錄：「《雲溪集》五卷，兩江總督採進本。宋王銍撰。……是編乃其詩集。陳振孫《書錄解題》、《宋史·藝文志》並作八卷。此本僅五卷。考《墨莊漫錄》載銍所作〈王文孺臞庵詩〉一首，又〈山村詩〉一首；《越詠》載銍所作〈雲門寺詩〉一首，今皆不見於《集》中，知今世所傳已佚其三卷，非完帙矣。」惟《宋志》並未著錄此書，《四庫全書總目》誤。又考《解題》既稱此書爲《雲谿集略》，則直齋所得之八卷，恐已非完帙。而《四庫全書》所收之五卷本「乃其詩集」，則銍所撰他體文字固不在其中，則所佚者或屬文集之部也。

國初《周易》博士昭素之後也。其父莘樂道嘗從歐公學。廣棪案：「莘」原作「萃」，據元抄本、盧校本改。《宋元學案補遺》卷四、〈廬陵學案補遺·附錄〉有「王先生莘」條載：「王莘字樂道，汝陰人，《周易》博士昭素之後也。嘗從歐公學。子銍。《直齋書錄解題》。」可證。銍爲曾紆壻，嘗撰《七朝國史》。紹興初，常同子正薦之，廣棪案：「常」原作「嘗」。《文獻通考》作「常」，元抄本、盧校本同。據改。詔視秩史官，給札奏御，會秦氏柄國中止，書竟不傳。

案：《宋史翼》銍本傳載：「王銍字性之，汝陰人，昭素之後，曾紆壻也。父萃字樂道。銍嘗從歐陽修學。南渡後，寓居剡中，善屬文，不樂仕進，讀書五行俱下，他人纔三四行，銍已盡一紙。記問該洽，尤長國朝故事，

對客指畫，誦說數百十言，退而質之，無一語謬。《老學庵筆記》。紹興初，
累官右承事郎，守太府丞，迪功郎，權樞密院編修官。纂集祖宗兵制書
成。四年三月，賜名《樞庭備檢》，罷爲主管台州崇道觀。銍以建隆元符
信史屢更，書多重複，乃以《七朝國史帝記志傳》外，益以《宰執宗室
世表》，爲《宗室公卿百官年表》。常同爲中執法，言于朝，詔銍祠中視
史官之秩，尚方給箚奏御。至九年，以《元祐八年補錄》，及《七朝史》
上之，詔進右宣議郎，然所修未及半，後爲秦檜所阻，不克成。《要錄》一
百二十五。」可參證。惟《宋史翼》「父萃」乃「莘」之誤，「銍嘗從歐陽
修學」，衍「銍」字，從修學者乃莘也。

其子明清，著《揮塵錄》。

案：《宋史翼》銍本傳載：「次子明清字仲言，紹熙乙酉簽書寧國軍節度判
官。《玉照新志》。著有《揮塵三餘》、《玉照新志》、《投轄錄》。」其「《揮塵
三餘》」乃「三錄」之誤。考《揮塵錄》，《解題》卷十一、〈小說家類〉有
著錄，曰：「《揮塵錄》三卷、《後錄》十一卷、《第三錄》三卷、《餘話》一
卷，朝請大夫汝陰王明清仲言撰。明清，銍之子，曾紆公袞之外孫。故家
傳聞、前言往行多所憶。《後錄》，〈跋〉稱六卷，今多五卷。」可參證。

致堂斐然集三十卷

《致堂斐然集》三十卷，禮部侍郎胡寅明仲撰。

廣棪案：《讀書附志》卷下、〈別集類〉三著錄：「《致堂先生斐然集》三
十卷。右禮部侍郎胡寅字明仲之文也。」與此同。《宋史》卷二百八、〈志〉
第一百六十一、〈藝文〉七、〈別集類〉著錄：「胡寅《斐然集》二十卷。」
寅字明仲。高宗時除禮部侍郎，兼侍講兼直學士院。《宋史》卷四百三十
五、〈列傳〉第一百九十四、〈儒林〉五附〈胡安國〉，稱「其爲文根著義
理，有《斐然集》三十卷」。則《宋志》作二十卷者，顯誤。

文定公長子也。本其兄子，初生棄不舉，文定于水盆內收育之。廣棪案：
《文獻通考》闕「于水盆內」四字。

案：文定公即胡安國。《宋史》寅本傳載：「寅字明仲，安國弟之子也。
寅將生，弟婦以多男欲不舉，安國妻夢大魚躍盆水中，急往取而子之。」
可參證。

既長，俾自絕于本生，不為心喪，止服世父之服，寅遵行之。《集》中有〈與秦丞相書〉，言之甚詳。人倫之變，古今所未有也。

案：《宋史》寅本傳載：「檜既忌寅，雖告老猶憤之，坐與李光書譏訕朝政落職。右正言章復劾寅不持本生母服不孝，諫通鄰好不忠，責授果州團練副使，新州安置。」《四庫全書總目》卷一百五十八、〈集部〉十一、〈別集類〉十一著錄：「《斐然集》三十卷，兩江總督採進本。宋胡寅撰。……寅父子兄弟皆篤信程氏之學，寅尤以氣節著。其晚謫新州，乃右正言章復劾其不持生母服。寅上書於檜自辯，其文今載第十七卷中。大意謂遺棄之子不同於出繼之子，恩義既絕，不更以本生論之。然母子天屬，即不幸遘人倫之變，義無絕理。設有遺棄之子殺其本生父母者，使寅司讞，能以凡人論乎？章復之劾，雖出於迎合秦檜，假公以濟其私。而所持之事則不可謂之無理。寅存此書於《集》中，所謂欲蓋彌彰也。」可參證。

寅，宣和初進士，廣棪案：《文獻通考》無「初」字。紹興初已為從官，不主和議，秦本與其父子有契分，竟謫新州。檜死北歸，沒於岳州。

案：《宋史》寅本傳載：「游辟雍，中宣和進士甲科。……寅志節豪邁，初擢第，中書侍郎張邦昌欲以女妻之，不許。始，安國頗重秦檜之大節，及檜擅國，寅遂與之絕。新州謫命下，即日就道。在謫所著《讀史管見》數十萬言，及《論語詳說》皆行于世。」又載：「檜死，詔自便，尋復其官。紹興二十一年，卒，年五十九。」《解題》謂寅「沒於岳州」，可補《宋史》之未及。

五峰集五卷

《五峰集》五卷，右承務郎胡宏仁仲撰。文定季子。不出仕，篤意理學。南軒張栻，其門人也。

廣棪案：《宋史》卷四百三十五、〈列傳〉第一百九十四、〈儒林〉五、〈胡安國〉載：「三子：寅、宏、寧。」則宏為安國仲子，《解題》誤。至所附〈胡宏傳〉則載：「宏字仁仲，幼事楊時、侯仲良，而卒傳其父之學。優游衡山下餘二十年，玩心神明，不舍晝夜。張栻師事之。……宏初以蔭補右承務郎，不調。」又載：「著書曰《知言》。張栻謂其言約義精，道學之樞要，制治之蓍龜也。有詩文五卷，《皇王大紀》八十卷。」則

〈傳〉所謂「詩文五卷」者，即此《五峰集》五卷也。《四庫全書總目》卷一百五十八、〈集部〉十一、〈別集類〉十一著錄：「《五峰集》五卷，浙江鮑士恭家藏本。宋胡宏撰。宏有《皇王大紀》，已著錄。案陳振孫《書錄解題》：『其《集》凡有二本。一本五卷，一本不分卷。』此本題其季子大時所編，門人張栻為之〈敘〉。凡《詩》一百六首為一卷，《書》七十八首為一卷，《雜文》四十四首為一卷，《皇王大紀論》八十餘條為一卷，《經義》三種為一卷，蓋即所謂五卷之本也。所〈上高宗封事〉，剴切詳盡，《宋史》已採入本傳。其《易外傳》皆以史證經，《論語指南》乃取黃祖舜、沈大廉二家之說折衷之。《釋疑孟》則辨司馬光《疑孟》之誤，議論俱極醇。又有〈與秦檜〉一書，自乞為嶽麓書院山長。蓋檜與宏父安國交契最深，故力汲引之。宏能蕭然自遠，蟬蛻於權利之外。其書詞婉而意嚴，視其師楊時委曲以就蔡京者，可謂青出於藍，而冰寒於水矣。」可參考。

別本不分卷。

案：《宋史》卷二百八、〈志〉第一百六十一、〈藝文〉七、〈別集類〉著錄：「《胡宏集》一卷。」此或即不分卷本。

竹軒雜著十五卷

《竹軒雜著》十五卷，太常少卿永嘉林季仲懿成撰。以趙元鎮薦入朝，奏疏沮和議得罪。仲熊、叔豹、季貍，其弟也，皆知名。

廣棪案：《宋元學案》卷三十二、〈周許諸儒學案·橫塘門人〉「直閣林竹軒先生季仲、運副林先生叔豹合傳」條載：「林季仲，字懿成，號竹軒，永嘉人也。雲濠案：先生自號蘆山老人，嘗僑寓暨陽。《竹軒集》中又自稱『濟南林某』者，蓋其祖貫也。兄弟四人，皆橫塘許氏弟子，而先生與叔弟叔豹尤著。成宣和進士，官婺州兵曹，出死囚之無罪者。遷仁和令。建炎杭卒之亂，先生躬帥士兵悍截有功。高宗幸永嘉，先生奉母避兵山下。以中丞趙鼎薦，與吳表臣並召見，授臺官，累遷吏部郎。乞重民牧之選，因乞一令自效，且云：『臣承乏郎官，求為縣令，似乎不情。然官職之輕重，惟陛下如何。以省部為重，則郎官貴；以斯民為重，則縣令貴。古人有言，「請自隗始」，今請以臣為郎官作令之始。』尋除太常少卿。趙鼎罷相，先生

亦出知泉州。鼎再入相，奏：『今清議所與，如劉大中、胡寅、呂本中、林季仲，陛下能用之乎？不然，則臣無所措手足。』乃除檢正。和議起，先生上疏引夫差、句踐事爭之，被斥。久之，召知婺州。尋復以直祕閣奉祠。有《竹軒雜著》十五卷。_{雲濛案：《竹軒雜著》今存六卷。叔豹字德惠，成進士，爲李綱行營使幕官，甚倚任之。按慈溪縣，鄞之降紳蔣安義獻屠城策以媚金，求知明州，德惠自慈帥兵入，杖殺安義，姦民以定。累官江東副轉運使。補。}」可參證。元鎭，趙鼎字。同書同卷另有「林先生仲熊、林先生季貍合傳」條載：「林仲熊、季貍，與叔豹皆竹軒弟也，皆知名。參《直齋書錄解題》。」所據即《解題》也。考《宋史翼》卷十、〈列傳〉第十有〈林季仲〉附弟叔豹傳。

北山集三十卷

《北山集》三十卷，端明殿學士金華鄭剛中亨仲撰。

廣棪案：《宋史》卷二百八、〈志〉第一百六十一、〈藝文〉七、〈別集類〉著錄：「《鄭剛中文集》八卷。」所著錄卷數不同。《四庫全書總目》卷一百五十八、〈集部〉十一、〈別集類〉十一著錄：「《北山集》三十卷，_{浙江鮑士恭家藏本。}宋鄭剛中撰。剛中有《周易窺餘》，已著錄。是《集》一名《腹笑編》，凡初集十二卷，中集八卷，後集十卷。初集起宣和辛丑，至紹興乙卯。中集起紹興乙卯，至甲子。皆剛中所自編。後集起紹興戊辰，至甲戌，爲乾道癸巳其子良嗣所編。始末具見剛中〈自序〉及良嗣〈跋〉中。此本題初集、二集、三集，而相連編爲三十卷。蓋康熙乙亥其里人曹定遠重刻所改，非其舊也。」是《北山集》原三十卷。剛中字亨仲，婺州金華人。《宋史》卷三百七十、〈列傳〉第一百二十九有傳，然未載其除端明殿學士。考《北山集》卷末載〈追復資政殿學士贈左大中大夫敕〉、〈宣撫資政殿學士鄭公年表〉、〈資政殿學士鄭公墓誌銘〉三文，足證剛中所除者乃資政殿學士，而非端明殿學士，直齋誤矣。

紹興二年進士亞魁。受知秦相，擢使川陝，_{廣棪案：《文獻通考》闕「擢」字。}後忤意，貶死封州。

案：《宋史》剛中本傳載：「鄭剛中字亨仲，婺州金華人。登進士甲科，累官爲監察御史，遷殿中侍御史。剛中由秦檜薦于朝，檜主和議，剛中

不敢言。移宗正少卿，請去，不許，改秘書少監。金歸侵疆，檜遣剛中為宣諭司參謀官；及還，除禮部侍郎。復遣剛中為川、陝宣諭使，諭諸將罷兵，尋充陝西分畫地界使。金使烏陵贊謨入境，欲盡取階、成、岷、鳳、秦、商六州，剛中力爭不從；又欲姑取商、秦，於大散關立界，剛中又堅不從。繼除川、陝宣撫副使。秦檜怒剛中在蜀專擅，令侍御史汪勃奏置四川財賦總領官，以趙不棄為之，不隸宣撫司。不棄牒宣撫司，剛中怒，由是有隙。不棄頗求剛中陰事言於檜，檜陽召不棄歸，因召剛中。剛中語人曰：『孤危之迹，獨賴上知之耳。』檜聞愈怒，遂罷，責桂陽軍居住；再責濠州團練副使，復州安置；再徙封州，卒。」可參證。

澹庵集七十八卷

《澹庵集》七十八卷，端明殿學士忠簡廬陵胡銓邦衡撰。

廣棪案：《宋史》卷二百八、〈志〉第一百六十一、〈藝文〉七、〈別集類〉著錄：「胡銓《澹庵集》七十卷。」卷數不同。銓字邦衡，廬陵人。孝宗時除端明殿學士，卒諡忠簡。《宋史》卷三百七十四、〈列傳〉第一百三十三有傳。惟謂「有《澹庵集》一百卷行于世」，所載卷數又不同。

建炎甲科第五人。

案：《宋史》銓本傳載：「胡銓字邦衡，廬陵人。建炎二年，高宗策士淮海，銓因御題問『治道本天，天道本民』，答云：『湯、武聽民而興，桀、紂聽天而亡。今陛下起干戈鋒鏑間，外亂內訌，而策臣數十條，皆質之天，不聽於民。』又謂：『今宰相非晏殊，樞密、參政非韓琦、杜衍、范仲淹。』策萬餘言，高宗見而異之，將冠之多士，有忌其直者，移置第五。」可參證。

既上書乞斬秦檜，謫嶺海，秦死得歸。

案：《宋史》銓本傳載：「(紹興) 八年，宰臣秦檜決策主和，金使以『詔諭江南』為名，中外洶洶。銓抗疏言曰：『臣謹案，……孔子曰：「微管仲，吾其被髮左衽矣。」夫管仲，霸者之佐耳，尚能變左衽之區，而為衣裳之會。秦檜，大國之相也，反驅衣冠之俗，而為左衽之鄉。則檜也不唯陛下之罪人，實管仲之罪人矣。孫近傅會檜議，遂得參知政事，天下望治有如饑渴，而近伴食中書，漫不敢可否事。檜曰虜可和，近亦曰

可和；檜曰天子當拜，近亦曰當拜。臣嘗至政事堂，三發問而近不答，但曰：「已令臺諫、侍從議矣。」嗚呼！參贊大政，徒取充位如此。有如虜騎長驅，尚能折衝禦侮耶？臣竊謂秦檜、孫近亦可斬也。臣備員樞屬，義不與檜等共戴天，區區之心，願斷三人頭，竿之藁街，然後羈留虜使，責以無禮，徐興問罪之師，則三軍之士不戰而氣自倍。不然，臣有赴東海而死爾，寧能處小朝廷求活邪！』書既上，檜以銓狂妄凶悖，鼓眾劫持，詔除名，編管昭州，仍降詔播告中外。給、舍、臺諫及朝臣多救之者，檜迫於公論，乃以銓監廣州鹽倉。明年，改簽書威武軍判官。十二年，諫官羅汝楫劾銓飾非橫議，詔除名，編管新州。十八年，新州守臣張棣訐銓與客唱酬，謗訕怨望，移謫吉陽軍。二十六年，檜死，銓量移衡州。」可參證。

孝宗即位，始復官召用，又以沮再和之議得罪去。

案：《宋史》銓本傳載：「孝宗即位，復奉議郎、知饒州。召對，言修德、結民、練兵、觀釁，上曰：『久聞卿直諒。』除吏部郎官。隆興元年，遷秘書少監，擢起居郎。……十一月，詔以和戎遣使，大詢于庭，侍從、臺諫預議者凡十有四人。主和者半，可否者半，言不可和者銓一人而已，乃獨上一議曰：『京師失守自耿南仲主和，二聖播遷自何㮚主和，維持失守自汪伯彥、黃潛善主和，完顏亮之變自秦檜主和。議者乃曰：「外雖和而內不忘戰。」此向來權臣誤國之言也。一溺於和，不能自振，尚能戰乎？』除宗正少卿，乞補外，不許。……二年，兼國子祭酒，尋除權兵部侍郎。八月，上以災異避殿減膳，詔廷臣言闕政急務。銓以振災為急務，議和為闕政。……久之，提舉太平興國宮。」可參證。

乾道中入為丞郎，亦不容于時，奉祠，至淳熙七年，乃終，年七十有九。

廣棪案：《文獻通考》此句作「乃終七十九」。

案：《宋史》銓本傳載：「乾道初，以集英殿修撰知漳州，改泉州。趣奏事，留為工部侍郎。入對，言：『少康以一旅復禹績，今陛下富有四海，非特一旅，而即位九年，復禹之効尚未赫然。』又言：『四方多水旱，左右不以告，謀國者之過也，宜令有司速為先備。』乞致仕。七年，除寶文閣待制，留經筵。求去，以敷文閣直學士與外祠。陛辭，猶以歸陵寢、復故疆為言，上曰：『朕志也。』且問今何歸，銓曰：『歸廬陵，臣

向在嶺海嘗訓傳諸經，欲成此書。』特賜通天犀以寵之。銓歸，上所著
《易》、《春秋》、《周禮》、《禮記解》，詔藏秘書省。尋復元官，升龍圖
閣學士、提舉太平興國宮，轉提舉玉隆萬壽宮，進端明殿學士。六年，
召歸經筵，銓引疾力辭。七年，以資政殿學士致仕。薨，諡忠簡。」可
參證。

相山集二十六卷

《相山集》二十六卷，朝奉大夫濡須王之道彥猷撰。

　　廣棪案：《宋史》卷二百八、〈志〉第一百六十一、〈藝文〉七、〈別集類〉
　　著錄：「王之道《相山居士文集》二十五卷，又《相山長短句》二卷。」
　　所著錄卷數與《解題》不同。之道字彥猷，無為軍人。孝宗時以朝奉大
　　夫致仕。《宋史翼》卷十、〈列傳〉第十有傳。濡須即無為軍。

宣和六年，兄弟三人同登科。

　　案：《宋史翼》之道本傳載：「王之道字彥猷，無為軍人。宣和六年與兄
　　之義、弟之深同舉進士第。縉紳榮之，榜其所居曰三桂。」可參證。

建炎寇亂，率眾保明避山，<small>廣棪案：元抄本「保明」作「保胡」，《宋史翼》之</small>
<small>道本傳同。</small>從之者皆得免。以功改京官，沮和議得罪。

　　案：《宋史翼》之道本傳載：「建炎三年，金人陷無為軍。守臣李知幾南
　　走，之道率族黨保胡避山，使之深居。守自以兵法，部其眾轉戰於外，
　　且誘鄉民運粟於山，能致一石者與其半，故糧不乏。山西有毛公寨，李
　　伸圍之急。之道以精卒從間道，出不意，大破之。時盜賊蜂起，殺人如
　　麻，獨在胡避者得免。鎮撫使趙霖以便宜檄攝無為軍，拊摩瘡疾，招集
　　流亡，境內帖然。……紹興二年，霖以守胡避功聞於朝，特改左宣議郎，
　　進承奉郎，鎮撫司參謀官。紹興六年五月，知開州。《要錄》一百一。八年，
　　通判滁州。時方議和，之道移書吏部尚書魏矼、諫議大夫曾統，言『辱
　　國非便』。又投匭上書，言『敵有五敗，陛下有五勝。雖敵強且眾，固無
　　能為也。而我有未必勝者三，又不可不知也。……』並繳所與魏矼、曾
　　統書，大忤秦檜意。十年七月降一官，送吏部與小監當差遣。《要錄》一百
　　三十七。尋責監南雄州溪塘鎮鹽稅，會赦不果行。遂絕意仕進，卜居相山
　　之下，自號相山居士，以詩酒自娛，凡二十年。」可參證。

晚乃歷魔節。

案：《宋史翼》之道本傳載：「檜死，起知信陽軍。紹興三十年，至郡。明年，金人敗盟，詔沿邊爲守備。之道疏言應敵之策，不報。建康都統請拘沿江舟船，毋泊北岸。轉運司以朝旨移郡，之道奏言：『拘老小則失人心，禁商旅則走官課。大將措置乖謬，貽敵笑侮。』鄂州都統乞團結湖北保甲，遇征行，許充本軍鄉導。之道奏言：『統帥謂鄉導，是驅百姓爲先鋒耳。』朝廷是其言，事俱寢。除提舉湖北常平茶、鹽，兼攝鼎州。有僧崇一，居桃源，以妖惑眾。之道召致獄，民爭言僧有神術，治之將不利於公。之道不聽，獄具，流筠州，卒無能爲，民乃大服。除湖南轉運判官，權安撫使，旋以朝奉大夫致仕。之道質直剛勁，尚風節，平居恂恂，氣和而色溫。至臨大事，區處剖決，多出人意表。嘗以策干趙鼎、張浚、李光，思欲與共功業。和議成，爲檜所厄。晚守邊郡，持使節，可以有爲，而之道老矣。乾道五年卒，年七十七。尤袤〈王公神道碑〉，參《繫年要錄》。」可參證。

其子藺被遇阜陵，貴顯。

案：阜陵，指孝宗。《宋史》卷三百八十六、〈列傳〉第一百四十五、〈王藺〉載：「王藺字謙仲，廬江人。乾道五年，擢進士第。爲信州上饒簿、鄂州教授、四川宣撫司幹辦公事，除武學諭。孝宗幸學，藺迎法駕，立道周，上目而異之，命小黃門問知姓名，由是簡記。遷樞密院編脩官，輪對，奏五事，讀未竟，上喜見顏色。明日，諭輔臣曰：『王藺敢言，宜加獎擢。』除宗正丞，尋出守舒州。陛辭，奏疏數條，皆極言時事之未得其正者。上曰：『卿議論峭直。』尋出手詔：『王藺鯁直敢言，除監察御史。』一日，上袖出幅紙賜之，曰：『比覽陸贄《奏議》，所陳深切，今日之政，恐有如德宗之弊，可思朕之闕失，條陳來上。』藺即對曰：『德宗之失，在於自用逐非，疑天下士。』退即上疏，陳德宗之弊，并及時政闕失，上嘉納之。遷起居舍人，言：『朝廷除授失當，臺諫不悉舉職，給、舍始廢繳駁，內官、醫官、藥官賜予之多，遷轉之易，可不思警懼而正之乎？』上竦然曰：『非卿言，朕皆不聞。磊磊落落，惟卿一人。』除禮部侍郎兼吏部。嘗因手詔『謀選監司，欲得剛正如卿者，可舉數人』。除禮部侍郎兼吏部。即奏舉潘時、鄭矯、林大中等八人，乞擢用。會以母憂去。服除，召還爲禮部尚書，進參知政事。』是藺貴顯於孝宗朝。

韋齋小集十二卷

《韋齋小集》十二卷，吏部員外郎新安朱松喬年撰。侍講文公之父也。

> 廣棪案：《宋史》卷二百八、〈志〉第一百六十一、〈藝文〉七、〈別集類〉著錄：「朱松《韋齋集》十二卷，又《小集》一卷。」與此同。《宋史》卷四百二十九、〈列傳〉第一百八十八、〈道學〉三、〈朱熹〉載：「朱熹字元晦，一字仲晦，徽州婺源人。父松字喬年，中進士第。胡世將、謝克家薦之，除祕書省正字。趙鼎都督川、陝、荊、襄軍馬，招松爲屬，辭。鼎再相，除校書郎，遷著作郎。以御史中丞常同薦，除度支員外郎，兼史館校勘，歷司勳、吏部郎。秦檜決策議和，松與同列上章，極言其不可。檜怒，風御史論松懷異自賢，出知饒州，未上，卒。」可參證。

文公嘗言，韋齋先生自爲兒童時，出語已驚人，及去場屋，始致意爲詩文。其詩初亦不事彫飾，而天然秀發，格律閒暇，超然有出塵寰之趣。

> 館臣案：「文公嘗言」以下原本脫去，今據《文獻通考》增入。　廣棪案：元抄本、盧校本亦無「文公嘗言」以下文字。

> 案：《四庫全書總目》卷一百五十七、〈集部〉十、〈別集類〉十著錄：「《韋齋集》十二卷、附《玉瀾集》一卷，內府藏本。宋朱松撰。松字喬年，別字韋齋。朱子之父也。政和八年，同上舍出身。官至吏部員外郎。以言事忤秦檜，出知饒州。未上請閒，得主管台州崇道觀。滿秩再請，命下而卒。朱子作〈行狀〉，稱『有《韋齋集》十二卷、《外集》十卷。』《外集》今已久佚。是《集》初刻於淳熙，再刻於至元，又刻於宏治。傳本亦稀。康熙庚寅，其裔孫昌辰又校錄重刊，是爲今本。核其卷數，與〈行狀〉所言相合，蓋猶舊帙也。前有傅自得〈序〉，稱『其詩高遠而幽潔。其文溫婉而典裁。至表奏書疏，又皆中理而切事情。雖友朋推許之詞，然松早友李桐，晚折秦檜，其學識本殊於俗。故其發爲文章，氣格高逸，翛然自異。即不藉朱子以爲子，其《集》亦足以自傳自得』。所云頗爲近實。非後來門戶之私，以張栻而尊張浚者比也。」可參考。

關博士集二十卷

《關博士集》二十卷，太學博士錢塘關注子東撰。紹興五年進士。嘗為湖州教授。自號香巖居士。

> 廣棪案：《宋史》卷二百八、〈志〉第一百六十一、〈藝文〉七、〈別集類〉
> 著錄：「《關注集》二十卷。」與此同。《宋史翼》卷二十四、〈列傳〉第
> 二十四、〈儒林〉二、〈關注〉載：「關注字子東，世為錢塘人。紹興五年
> 進士，調湖州教授。與胡瑗之孫滌哀瑗遺書，得《易解中庸義》，藏之學
> 宮。又輯《胡先生言行錄》，汪藻為之〈序〉。稱注之意在於美風俗，新
> 人才。潛說友《臨安志》。瑗奧學精義，見於著書；蒐索編次，罔有遺逸，
> 則注力也。注嗜學若渴，行己誨人，以先哲為師。《苕溪集·吳興郡學記》。
> 官至太學博士，卒。自號香巖居士。有《關博士集》二十卷。《臨安志》。」
> 可參證。

石月老人三十五卷

《石月老人集》三十五卷，朝議大夫致仕鄱陽余安行勉仲撰。安行累舉
不第。

> 廣棪案：《宋史》卷二百八、〈志〉第一百六十一、〈藝文〉七、〈別集類〉
> 著錄：「余安行《石月老人文集》三十五卷。」與此同。《宋元學案補遺》
> 卷二、〈泰山學案補遺·泰山私淑〉「余先生安仁」條載：「余安行字仲勉，
> 德興人，官至大中大夫。雲濛案：一作弋陽人，官至朝議大夫。所居有巖如月，
> 號石月先生。所著《春秋新傳》，元符中上之，詔藏祕閣。《江西通志》。」
> 《宋詩紀事》卷三十八「余安行」條載：「安仁字勉仲，德興人，累舉不
> 第，以經學稱，有《石月老人集》。」均可參證。

其子應求以童子登崇寧五年進士科，為御史，歷麾節，所至迎養其父，
至九十六乃終。著書號《至言》，蓋純篤之士也。

> 案：《宋史翼》卷七、〈列傳〉第七、〈余應球〉載：「余應球，字國器，
> 江西弋陽人，安行子。登崇寧進士，授秘書省校書郎。靖康初，上言朝
> 政有七失，欽宗嘉其忠直，親擢為監察御史。應球感激知遇，知無不言。
> 曾言蔡京、童貫、蔡攸、朱勔及吳敏等宜加罷黜誅逐，黨人之未沒及子
> 孫可錄用者，宜令有司條具以聞。在職數月，章至六十餘上，旋忤權倖，

與外任河北知州郡，既又送吏部差遠小監當，以親喪遂不復仕。著有《眞
隱集》，並奏議。」可參證。惟《宋史翼》作「應球」，而所著書稱《眞
隱集》，與《解題》不同。

王著作集四卷

《王著作集》四卷，著作佐郎福清王蘋信伯撰。從程門學，以趙忠簡薦，
召對，賜出身。秦檜惡之，會其族子坐法，牽連文致，奪官以死。

廣校案：《宋史翼》卷二十四、〈列傳〉第二十四、〈儒林〉二、〈王蘋〉
載：「王蘋字信伯，其先福建福清人。父俞，徙家吳之震澤。蘋出爲世
父伯起後。伯起受經於王安石，二程在洛，伯起遣蘋從之，遂爲二程高
弟，通《春秋》。楊時爲程門先進同門，後來成就莫能踰蘋者。自舍法
行，遂不就舉。紹興四年，高宗幸平江，守臣孫佑言蘋專行高潔，有憂
時愛君之心，開物成務之學。丞相趙鼎以聞。召對稱旨，補右迪功郎，
賜進士出身，除秘書省正字。詔令條具賊退利害，蘋奏治本三事，曰正
心誠意，曰辨君子小人，曰消朋黨。高宗悅，謂輔臣曰：『蘋起草茅，
而議論進止若素宦者，儒生能通世務，乃爲有用。』明年命兼史館校勘，
尋守著作佐郎，力請補外，通判常州。中書舍人朱震、寶文閣直學士胡
安國、徽猷閣待制尹焞，皆嘗舉蘋自代。安國論薦尤力，謂『其學有師
承，識通世務，使司獻納，必有補於聖時』。爲宰相秦檜所抑，累數年
不得召。勾祠歸，主管台州崇道觀。蘋同產子證，廣校案：「證」字應作「誼」。
年方十四，一日在書塾拈紙作御批曰：『可斬秦檜以謝天下。』爲僕所
告，有司懼檜耳目，不敢隱。驛聞於朝，詔逮赴廷尉，獄具當誅。高宗
憐其減等，編置象州。蘋以誼故，奪官，勒停廢於家。誼能詩文，在貶
所，聚徒自給，及檜死乃歸。盧熊《蘇州府志》，參章憲〈王先生墓誌〉及《閩
書》。」可參證。

屏山集二十卷

《屏山集》二十卷，通判興化軍崇安劉子翬彥仲撰。

廣校案：《宋史》卷二百八、〈志〉第一百六十一、〈藝文〉七、〈別集類〉
著錄：「劉子翬《屏山集》二十卷。」與此同。子翬字彥沖，興化軍通判。

《宋史》卷四百三十四、〈列傳〉第一百九十三、〈儒林〉四有傳。子翬，崇安人。

父韐，兄子羽。子翬以蔭入仕。年甫四十八而卒。

　　案：《宋史》子翬本傳載：「劉子翬字彥沖，贈太師韐之仲子。以父任授承務郎，辟眞定府幕屬。韐死靖康之難，子翬痛憤，幾無以爲生，廬墓三年。服除，通判興化軍。……子翬始執喪致羸疾，至是以不堪吏責，辭歸武夷山，不出者凡十七年。間走其父墓下，瞻望徘徊，涕泗嗚咽，或累日而返。妻死不再娶，事繼母呂氏及兄子羽盡孝友。子羽之子珙，幼英敏嗜學，子翬教之不懈，珙卒有立。……一日，感微疾，即謁家廟，泣別母，與親朋訣，付珙家事，指葬處，處親戚孤弱之無業者，訓學者修身求道數百言。後二日卒，年四十七。學者稱屏山先生。」可參證。惟子翬卒年，《宋史》所載與《解題》相差一年，蓋伸算有所不同耳。

朱文公，其門人也，嘗謂朱曰：「吾少聞佛老之說，歸讀吾書，然後知吾道之大，體用之全如此。於《易》得入德之門焉。作〈復齋銘〉、〈聖傳論〉，可以見吾志矣。」廣棪案：《文獻通考》後數句作「於《易》得入德之門。爲作〈復齋銘〉、〈聖傳論〉，可以見吾志矣」。

　　案：《宋史》子翬本傳載：「與籍溪胡憲、白水劉勉之交相得，每見，講學外無雜言。它所與遊，皆海內知名士，而期以任重致遠者，惟新安朱熹而已。初，熹父松且死，以熹託子翬。及熹請益，子翬告以《易》之『不遠復』三言，俾佩之終身，熹後卒爲儒宗。子翬少喜佛氏說，歸而讀《易》，即渙然有得。其說以爲學《易》當先〈復〉，故以是告熹焉。」可參證。考《宋元學案補遺》卷四十三、〈劉胡諸儒學案補遺·洛學私淑〉「補觀使劉屏山先生子翬」條，具載〈聖傳論〉與〈復齋銘〉，又載虞道園〈記屏山書院〉曰：「蓋先生之言曰：『嘗臥病莆陽，與釋、老子之徒接，以爲其言是矣。而反觀吾書，而後有以知吾道之大，體用之全，卓然高風遠識，何可及也。著而爲書，自堯、舜、禹、湯、文、武、周公、孔子、顏、曾、思、孟，論其所行之道，序其所傳之宗，蓋其用力積久，而眞知深遠以爲言者也。至于其所自得而指示學者，歷論世學之所以蔽，人心之所以晦，吾道之所以不明者，俾知其蒙之所在，而發之以求夫不遠之復。而曰：不遠復者，入德之門也。嗟夫！此顏子之學也。』先生

以顏子之學爲學，而告諸學者，亦以顏子之學爲學焉。今以學者欲求先
生之學，不以顏子之學爲學，豈先生之所以望于學者乎？」可參考。

東溪集十二卷

《東溪集》十二卷，_{館臣案：《文獻通考》作二十卷。}迪功郎漳浦高登彥先撰。

　　廣校案：《宋史》卷二百八、〈志〉第一百六十一、〈藝文〉七、〈別集類〉
　　著錄：「高登《東溪集》十二卷。」與此同。登字彥先，漳浦人。迪功郎，
　　有《東溪集》行世。《宋史》卷三百九十九、〈列傳〉第一百五十八有傳。

考試潮州，策問忤秦相，謫死。

　　案：《宋史》登本傳載：「廣漕鄭鬲、趙不棄辟攝歸善令，遂差考試，摘
　　經史中要語命題，策閩、浙水災所致之由。郡守李仲文即馳以達檜，檜
　　聞震怒，坐以前事，取旨編管容州。漳州遣使臣謝大作持省符示登，登
　　讀畢，即投大作上馬，大作曰：『少入告家人，無害也。』登曰：『君命
　　不敢稽。』大作愕然。比夜，巡檢領百卒復至，登曰：『若朝廷賜我死，
　　亦當拜敕而後就法。』大作感登忠義，爲泣下，奮劍叱巡檢曰：『省符在
　　我手中，無它語也。汝欲何爲，吾當以死捍之。』鬲、不棄亦坐鑴一官。
　　登謫居，授徒以給，家事一不介意，惟聞朝廷所行事小失，則顰蹙不樂，
　　大失則慟哭隨之。臨卒，所言皆天下大計。後二十年，丞相梁克家疏其
　　事以聞。何萬守漳，言諸朝，追復迪功郎。後五十年，朱熹爲守，奏乞
　　褒錄，贈承務郎。」可參證。

繙經堂集八卷

《繙經堂集》八卷，知盱眙軍東平畢良史少董撰。_{廣校案：元抄本、盧校本「盱」作「台」。}文簡公士安五世孫。嘗陷敵，_{廣校案：《文獻通考》「敵」作「虜」。}有從之游者，因爲圖，名《繙經》，寫其訪問紬繹之狀。

　　廣校案：《宋史翼》卷二十七、〈列傳〉第二十七、〈文苑〉二、〈畢良史〉
　　載：「畢良史字少董，自號死齋，上蔡人。文簡公士安五世孫。《解題》。第
　　進士。……金人敗盟，開封陷，良史入于金不仕，乃教學，講《春秋》，
　　有從之游者，因爲圖，名《繙經》，寫其訪問紬繹之狀。《解題》。……（紹

興）十五年七月，加直秘閣知盱眙軍。《要錄》一百五十四。十八年，進直敷文閣。二十年八月卒于任。《要錄》一百六十一。著有《春秋正辭》二十卷、《繙經堂集》八卷。《解題》。」可參證。

藥寮叢藁二十卷

《藥寮叢藁》二十卷，太常少卿上蔡謝伋景思撰。參政克家之子。

廣棪案：《宋史》卷二百八、〈志〉第一百六十一、〈藝文〉七、〈別集類〉著錄：「謝伋《藥寮叢藁》二十卷。」與此同。伋，《宋史》無傳。《宋詩紀事》卷四十四「謝伋」條載：「伋字景思，上蔡人。參政克家之子。官至太常少卿。紹興初，侍父寓居黃巖，自號藥寮居士，有《藥寮叢藁》。」可參證。

巖壑老人詩文一卷

《巖壑老人詩文》一卷，左朝請大夫洛陽朱敦儒希真撰。

廣棪案：《宋史》卷二百八、〈志〉第一百六十一、〈藝文〉七、〈別集類〉著錄：「朱敦儒《陳淵集》二十六卷，又《詞》三卷。」《宋詩紀事》卷四十四、「朱敦儒」條謂「有《巖壑老人詩文》一卷，又有《獵校集》」。敦儒字希眞，河南人。《宋史》卷四百四十五、〈列傳〉第二百四、〈文苑〉七有傳。官至鴻臚少卿，而未嘗除左朝請大夫。未知《宋史》本傳有漏略否？

初以遺逸召用，嘗為館職。

案：《宋史》敦儒本傳載：「朱敦儒字希眞，河南人。父勃，紹聖諫官。敦儒志行高潔，雖為布衣而有朝野之望。靖康中，召至京師，將處以學官，敦儒辭曰：『麋鹿之性，自樂閑曠，爵祿非所願也。』固辭還山。高宗即位，詔舉草澤才德之士，預選者命中書策試，授以官。於是淮西部使者言敦儒有文武才，召之，敦儒又辭。避亂客南雄州，張浚奏赴軍前計議，弗起。紹興二年，宣諭使明橐言敦儒深達治體，有經世才，廷臣亦多稱其靖退。詔以為右迪功郎，下肇慶府敦遣詣行在，敦儒不肯受詔。其故人勸之曰：『今天子側席幽士，翼宣中興，譙定召於蜀，蘇庠召於浙，

張自牧召於長蘆，莫不聲流天京，風動郡國，君何爲棲茅如藋，白首巖谷乎？』敦儒始幡然而起。既至，命對便殿，論議明暢。上悅，賜進士出身，爲祕書省正字。俄兼兵部郎官，遷兩浙東路提點刑獄。會右諫議大夫汪勃劾敦儒專立異論，與李光交通。高宗曰：『爵祿所以厲世，如其可與，則文臣便至侍從，武臣便至節鉞；如其不可，雖一命亦不容輕授。』敦儒遂罷。十九年，上疏請歸，許之。」可參證。

既挂冠，秦檜之孫壎欲學爲詩，起希真爲鴻臚少卿，將使教之，懼禍不敢辭。不久秦亡，物論少之。廣棪案：《文獻通考》闕「懼禍」以下各句。

案：《宋史》本傳載：「敦儒素工詩及樂府，婉麗清暢。時秦檜當國，喜獎用騷人墨客以文太平，檜子熺亦好詩，亦是先用敦儒子爲刪定官，復除敦儒鴻臚少卿。檜死，敦儒亦廢。談者謂敦儒老懷舐犢之愛，而畏避竄逐，故其節不終云。」可參證。

合有全集，未見。

案：《宋志》著錄有「朱敦儒《陳淵集》二十六卷」，應爲其全集，直齋未之見。

鶴溪集十二卷

《鶴溪集》十二卷，辟雍博士青田陳汝錫師予撰。

廣棪案：《宋史》卷二百八、〈志〉第一百六十一、〈藝文〉七、〈別集類〉著錄：「陳汝錫《鶴溪集》十二卷。」與此同。汝錫，《宋史》無傳。慕容彥逢《摛文堂集》卷五、〈制〉有〈將仕郎試辟雍錄陳汝錫可辟雍博士制〉曰：「勅：具官某博士，以經術訓迪多士，蓋《周官》師儒之選也。惟爾服在學校，休有譽言，宜膺命書，進踐厥次，往加勵勉，稱朕意焉。可。」是汝錫除辟雍博士之證。

紹聖四年進士，持節數路，帥越而卒。青田登科人自汝錫始。

案：《永樂大典》卷之三千一百四十五載：「陳汝錫 《處州志》：『汝錫，字師予。青田人。幼穎悟，數歲能屬文。或以其詩一聯示黃庭堅，曰：「閑愁莫浪遣，留爲痛飲資。」黃擊節稱賞。宋紹聖四年，由太學進士第，邑之登第自汝錫始。崇寧間，諸路學事始置提舉，首除提舉福建學事，

官至浙東安撫使。有《鶴溪集》刊于郡齋。子_{原本缺}。以父任，終通判潭
州，著《蒙隱集》，刊于宜春。』」可參證。考汝錫子名棣，明人避成祖
朱棣諱，故缺。余撰有〈讀《永樂大典》補闕一則〉，收入《碩堂文存四
編》，考之甚詳。

希點子與，其孫也。

案：《攻媿集》卷九十八、〈神道碑・中書舍人贈光祿大夫陳公神道碑〉
載：「公諱希點，字子與，處州青田人。陳姓出于有嬀，其來遠矣。九世
祖名師訥，吳越王時爲銀青光祿大夫，積勳上柱國。曾祖圭，贈宣奉大
夫。祖汝錫，擢紹聖四年進士第，仕至左朝請大夫，祕閣修撰，知紹興
府，兩浙東路安撫，贈中奉大夫。高宗駐蹕會稽，朝廷草創，賴彈壓辦
護之力爲多，威名甚聳，直道自將，不能與時高下，一斥不復，士論惜
之。父棣，篤學有賢行，奉議郎，通判潭州，贈中大夫。妣葉氏、馮氏，
俱封孺人，贈碩人。公葉出。碩人，石林先生從兄之女也。」是希點，
汝錫孫，而棣之子也。

岳武穆集十卷

《岳武穆集》十卷，樞密副使鄴郡岳飛鵬舉撰。_{廣棪案：《文獻通考》「樞密}
_{副使」作「樞副」，元抄本、盧校本同。}

廣棪案：《岳武穆集》十卷，《宋志》未著錄。《四庫全書總目》卷一百五
十八、〈集部〉十一、〈別集類〉十一著錄：「《岳武穆遺文》一卷，_{浙江巡}
_{撫採進本}。宋岳飛撰。飛事蹟具《宋史》本傳。陳振孫《書錄解題》載《岳
武穆集》十卷，今已不傳。此《遺文》一卷，乃明徐階所編。凡〈上書〉
一篇、〈箚〉十六篇、〈奏〉二篇、〈狀〉二篇、〈表〉一篇、〈檄〉一篇、
〈跋〉一篇、〈盟文〉一篇、〈題識〉三篇、〈詩〉四篇、〈詞〉二篇。其
〈辭鎮南軍承宣使〉僅有第三奏。〈辭開府〉僅有第四箚。〈辭男雲轉官〉
僅有第二箚。〈辭男雲特轉恩命〉僅有第四箚。〈辭少保〉僅有第三箚、
第五箚。〈乞敘立王次翁下〉僅有第二箚。〈乞解樞柄〉僅有第三箚。〈辭
除兩鎮〉僅有第三箚。則其佚篇蓋不可殫數。史稱万俟卨白秦檜，簿錄
飛家，取當時御札藏之以滅蹟。則奏議文字同遭毀棄，固勢有所必然矣。
然宋高宗御書〈聖賢像贊〉，刻石太學，秦檜作〈記〉勒於後。明宣德中，

吳訥乃磨而去之。飛之零章斷句,後人乃掇拾於蠹蝕灰燼之餘。是非之
公,千古不泯,固不以篇什之多少論矣。」可參證。飛字鵬舉,相州湯
陰人。紹興十一年授樞密副使,位參知政事上。《宋史》卷三百六十五、
〈列傳〉第一百二十四有傳。鄴郡即相州湯陰。

飛功業偉矣,不必以《集》著也。

案:《宋史》飛本傳載:「論曰:西漢而下,若韓、彭、絳、灌之爲將,
代不乏人,求其文武全器、仁智并施如宋岳飛者,一代豈多見哉!史稱
關雲長通《春秋左氏》學,然未嘗見其文章。飛北伐,軍至汴梁之朱仙
鎮,有詔班師,飛自爲表答詔,忠義之言,流出肺腑,眞有諸葛孔明之
風,而卒死於秦檜之手。蓋飛與檜勢不兩立,使飛得志,則金讎可復,
宋恥可雪;檜得志,則飛有死而已。昔劉宋殺檀道濟,道濟下獄,瞋目
曰:『自壞汝萬里長城!』高宗忍自棄其中原,故忍殺飛,嗚呼冤哉!嗚
呼冤哉!」是鵬舉固國之長城,其功業至偉也。

世所傳誦其〈賀和議成〉一表,當亦是幙客所爲,_{廣棪案:《文獻通考》「幙}客」,「幕」、「幙」同。而意則出于岳也。

案:《宋史》飛本傳載:「初,檜逐趙鼎,飛每對客嘆息,又以恢復爲己任,
不肯附和議。讀檜奏,至『德無常師,主善爲師』之語,惡其欺罔,奏曰:
『君臣大倫,根於天性,大臣而忍面謾其主耶?』兀朮遺檜書曰:『汝朝夕
以和請,而岳飛方爲河北圖,必殺飛,始可和。』檜亦以飛不死,終梗和
議,己必及禍,故力謀殺之。以諫議大夫万俟卨與飛有怨,風卨劾飛,又
風中丞何鑄、侍御史羅汝楫交章彈論,大率謂:『今春金人攻淮西,飛略至
舒、蘄而不進,比與俊按兵淮上,又欲棄山陽而不守。』飛累章請罷樞柄,
尋還兩鎮節,充萬壽觀使、奉朝請。檜志未伸也,又諭張俊令劫王貴、誘
王俊誣告張憲謀還飛兵。」是飛素惡和議,即此〈表〉乃飛命幕客所爲,
自亦一時權宜之計,非眞心附和議也。

漢濱集六十卷

《漢濱集》六十卷,參政襄陽王之望瞻叔撰。_{廣棪案:《文獻通考》「參政」}作「修政」,誤。

廣棪案:此書《宋志》未著錄。《四庫全書總目》卷一百五十八、〈集部〉

十一、〈別集類〉十一著錄：「《漢濱集》十六卷，《永樂大典》本。宋王之望撰，之望字瞻叔，襄陽穀城人，後寓台州。登紹興八年進士第。累遷太府少卿。孝宗即位，除戶部侍郎，充川陝宣諭使。洊擢至參知政事，勞師江淮，為言者論罷。乾道元年起為福建安撫使，加資政殿大學士，移知溫州卒。事蹟具《宋史》本傳。錢溥《祕閣書目》載有之望《漢濱集》，而佚其冊數。焦竑《經籍志》作六十卷。然趙希弁、陳振孫兩家俱未著錄，則宋代已罕傳本。後遂散佚不存。今從《永樂大典》中採撮裒綴，所存什之三四而已。」考此書《解題》及《文獻通考‧經籍考》均著錄，宋代未罕傳，《四庫全書總目》誤矣。之望字瞻叔，襄陽穀城人。孝宗隆興時拜參知政事兼同知樞密院事。《宋史》卷三百七十二、〈列傳〉第一百三十一有傳。

周益公為〈集序〉。

案：周必大《周文忠公集》卷五十三、〈序‧王參政文集序〉略曰：「公生於羊杜成功之地，慕其為人。博學能文，知略韜鈐；學根於經，故有淵源；文適於用，故無枝葉。奏箚甚多，皆可行之言。內制雖少，得坦明之體。酷嗜吟詠，詞贍而理到。近世論文章、事業，公實兼之。豈與夫一偏一曲之士較短量長而已。」可參考。

玉山翰林詞章五卷

《玉山翰林詞章》五卷，尚書玉山汪應辰聖錫撰。

廣梭案：《讀書附志》卷下、〈別集類〉三著錄：「《玉山先生表奏》六卷。」與此非同一書。《宋史》卷二百八、〈志〉第一百六十一、〈藝文〉七、〈別集類〉著錄：「汪應辰《翰林詞章》五卷。」即此書。應辰字聖錫，信州玉山人。孝宗時，除吏部尚書。《宋史》卷三百八十七、〈列傳〉第一百四十六有傳。

紹興五年進士首選。本名洋，御筆改賜。

案：《讀書附志》卷下、〈別集類〉三著錄：「《玉山先生表奏六卷》。右汪應辰聖錫之文也。本名洋，紹興五年進士第二，黃中以有官，遂升洋為第一。洋乞避遠祖嫌名，高宗以其與王拱辰皆年十八，遂賜今名。」《宋史》應辰本傳載：「汪應辰字聖錫，信州玉山人。幼凝重異常童，五歲知

讀書，屬對應聲語驚人，多識奇字。家貧無膏油，每拾薪蘇以繼晷。從人借書，一經目不忘。十歲能詩，游鄉校，郡博士戲之曰：『韓愈十三而能文，今子奚若？』應辰答曰：『仲尼三千而論道，惟公其然。』未冠，首貢鄉舉，試禮部，居高選。時趙鼎爲相，延之館塾，奇之。紹興五年，進士第一人，年甫十八。御策以吏道、民力、兵勢爲問，應辰答以爲治之要，以至誠爲本，在人主反求而已。上覽其對，意其爲老成之士，及唱第，乃年少子，引見者掖而前，上甚異之。鼎出班特謝。舊進士第一人賜以御詩，及是，特書〈中庸篇〉以賜。初名洋，與姓字若有語病，特改賜應辰。」均可參證。《宋史》所記得其實。

天材甚高，而不喜爲文，謂不宜弊精神於無用，廣棪案：《文獻通考》「弊」作「敝」。然每作輒過人。以天官兼翰苑近二年，所撰制詔，廣棪案：《文獻通考》作「制誥」。溫雅典實，得王言體，朱晦翁稱爲近世第一。

案：《朱文公文集》卷八十七、〈祭文・祭汪尙書文〉曰：「惟公學貫九流，而不自以爲足；才高一世，而不自以爲名，道高德備，而不自以爲德；位高勢重，而不自以爲榮。蓋玩心乎文、武之未墜，抗志乎先民之所程。巍乎其若嵩、岱之雄峙！浩乎其若滄海之涵渟！」又《宋元學案補遺》卷四十六、〈玉山學案補遺・附錄〉載：「朱子《玉山講義》曰：『昔日曾參見端明汪公，見其自少即以文章冠多士，致通顯而未嘗少有自滿之色，日以師友前輩多識前言往行爲事。及其晚年，德成行尊，則自近世名卿，鮮有能及之者。乃是此邦之人，其遺風餘烈，尙未遠也。』是朱子固視玉山爲近世第一人也。

太倉稊米集七十卷

《太倉稊米集》七十卷，樞密編修宣城周紫芝少隱撰。自號竹坡居士。

廣棪案：《宋史》卷二百八、〈志〉第一百六十一、〈藝文〉七、〈別集類〉著錄：「周紫芝《大倉稊米集》七十卷。」「太」誤作「大」。《宋史翼》卷二十七、〈列傳〉第二十七、〈文苑〉二載：「周紫芝字少隱，號竹坡，宣城人。……（紹興）十七年十二月以承奉郎爲樞密院編修。……著有《竹坡詩話》一卷、《太倉稊米集》七十卷，傳于世。」可參證。

白蘋集四卷

《白蘋集》四卷，右文林郎單父龐謙儒祐甫撰。廣棪案：《文獻通考》「謙儒」作「謙孺」。莊敏公籍之曾孫。用季父恩仕，不遂而死，韓南澗志其墓。廣棪案：盧校注：「元吉」。

> 廣棪案：《宋史》卷二百八、〈志〉第一百六十一、〈藝文〉七、〈別集類〉著錄：「龐謙孺《白蘋集藁》四卷。」即此書。謙孺，《宋史》無傳。韓元吉《南澗甲乙稿》卷二十二、〈墓誌銘・祐甫墓誌銘〉載：「祐甫龐姓，謙孺其名，祐甫字也，單州武夷城人。皇祐中，有相仁宗而公于穎國諡莊敏者，其曾大父也。穎公之子朝奉大夫諱元中者，其祖也。大夫之子忠訓郎諱敏孫者，其父也。祐甫少孤，留落四方。紹興十年，季父莊孫以明堂恩，奏為將仕郎。明年，監南嶽廟。丁母憂，服除，調泰州海陵縣尉。代歸，得兩浙西路提點刑獄司幹辦公事。以言者罷。居久之，得江南東路轉運司幹辦公事，以省員復罷。授鎮江府觀察推官，官為右文林郎，如是而止爾。然世之稱祐甫者，以字不以官。知祐甫者，以詩與文。而祐甫性敏悟，讀書過目輒解。為詩原于古樂府，有自得之妙；為文欲如先秦古書，雅奧而奇出。為騷詞，屈、宋以降則不學也。皆不蹈世俗畦畛，不肯以近代文士為能，以是議論輒驚人，往往憚與之交，及見其作，無不愛也。……乾道三年，權饒州景德鎮，五日而病作。……祐甫死時，年纔五十有一，蓋三月某日也，葬以十二月十三日。……有《白蘋文藁》十卷、《詩說》、《西漢刊誤》、《睡起錄》，皆未成書。」惟《解題》名作「謙儒」，誤。南澗，元吉號。

嘗客居吳興，故《集》名「白蘋」。

> 案：《南澗甲乙稿・祐甫墓誌銘》載：「始猶有田可食，既連蹇不遇，鬻幾盡。屏居吳興山間，屋僅數椽，妻子不勝其憂。好事者至，則典衣具酒論文，誦詩終日不厭。親族有不能葬者，亦質田助之。且起蓬首曳杖，吟哦草中，田野之人識其為祐甫也。」《宋詩紀事》卷五十七「龐謙孺」條載：「謙孺字佑甫，籍之曾孫。南渡居吳興，有《白蘋集》。」均可參證。惟《宋詩紀事》作「字佑甫」，則乃「祐甫」之誤。

南澗甲乙藁七十卷

《南澗甲乙藁》七十卷，吏部尚書潁川韓元吉无咎撰。

> 廣校案：《宋史》卷二百八、〈志〉第一百六十一、〈藝文〉七、〈別集類〉
> 著錄：「韓元吉《愚戇錄》十卷。又《南澗甲乙藁》七十卷。」廣校案：《南
> 澗甲乙藁》七十卷，《宋志》原置於「張嗣良《散帛集》十四卷」後，誤。元吉字無咎，
> 開封雍邱人。孝宗淳熙四年除吏部尚書，《宋史翼》卷十四、〈列傳〉第
> 十四有傳。潁川即開封雍邱。

門下侍郎維之玄孫。與其從兄元龍子雲皆嘗試詞科不利。居廣信溪南，館臣案：「廣信」原本作「廣德」，誤。今據《文獻通考》改正。號南澗。

> 案：《宋史翼》元吉本傳載：「韓元吉字無咎，開封雍邱人。門下侍郎維
> 之元孫。《書錄解題》兄元龍，長於治，知天台縣，除司農寺主簿，升寺丞。
> 《要錄》一百八十二。徙居信州之上饒，所居之前有澗水，號南澗。《江西通
> 志》。詞章典麗，議論通明，爲故家翹楚。周必大《玉堂類稿》。嘗赴詞科不利，
> 《書錄解題》。以蔭爲處州龍泉縣主簿。《雙蓮堂記》。」可參證。廣信，即信
> 州上饒。元龍，《宋元學案補遺》卷三十五、〈陳鄒諸儒學案補遺‧苕溪
> 門人〉「提刑韓先生元龍」條載：「韓元龍字子雲，其先眞定人，後徙宣
> 城。少師維之元孫也。以蔭補官，仕終直龍圖閣、浙西提刑。先生性醇
> 孝，未嘗輒去其母，與弟尙書元吉友愛甚篤，俱以文學顯，時以比坡、
> 潁云。《姓譜》。」可參考。

艇齋雜著一卷

《艇齋雜著》一卷，南豐曾季貍裘父撰。鞏之弟曰湘潭主簿宰，宰之孫曰大理司直晦之，季貍其子也。少從呂居仁、徐師川遊，廣校案：盧校注：「呂居仁名本中。徐師川名俯。」嘗一試禮部不中，廣校案：《文獻通考》「嘗」作「曾」。乾、淳間名公多敬畏之，具見其子灘所集《師友尺牘》。此編蓋其議論古今之文，廣校案：《文獻通考》「編」作「篇」。元抄本、盧校本「議論」作「論議」。辭質而義正，可以得其人之大略。

> 廣校案：《宋志》未著錄此書。《宋元學案》卷三十六、〈紫微學案‧紫微門
> 人〉「隱君曾艇齋先生季貍」條載：「曾季貍，字裘父，臨川人，南豐先生
> 弟宰之曾孫。先生嘗遍從南渡初年諸名宿，而學道以呂舍人居仁爲宗，乾、

淳諸老多敬畏之。嘗勉張宣公爲范堯夫，而戒以勿輕言兵。隱居蕭然，布衣劉共父、張于湖爭薦之，謝不出。其《師友尺牘》，舍人居第一。先生嘗一試禮部，不中，終身不赴。有《艇齋雜著》一卷，乃議論古今之文，陳振孫稱其辭質而義正，可以得其人。蓋有所傳于伊洛之統者也。^補。梓材謹案：《直齋書錄解題》云：『鞏之弟曰湘潭主簿宰，宰之孫曰大理司直晦之，季貍其子也，少從呂居仁、徐師川遊。』是先生又爲徐氏門人。」《宋元學案補遺》卷三十六、〈紫微學案補遺·紫微門人〉「補隱君曾艇齋先生季貍」條載：「梓材謹案：先生臨川人。《府志》本傳云：『先生師事韓子蒼、呂居仁，又與朱晦翁、張南軒書問往復。呂東萊數稱其學有淵源；南軒有「探古書盈室，憂時雪滿顛」；汪玉山有「四海曾裘父」之句。其爲時賢稱服如此。自號艇齋，著《論語訓解》。』」《宋史翼》三十六、〈別傳〉第三十六、〈隱逸〉載：「曾季貍字裘父，臨川人。鞏弟宰之曾孫。師事呂居仁，又與朱子、張栻遊。栻被召，季貍戒其不當談兵，且勸以范文正、忠宣父子爲法。郡守張孝祥、樞密劉珙薦於朝，皆不起。嘗一試禮部不中，終身不赴。隱居蕭然，自號艇齋。有《艇齋雜著》、《艇齋詩話》。《江西人物志》，參《陸放翁集》。」均可參證。瀁，生平事蹟無可考。

溪園集十卷

《溪園集》十卷，蘄春吳億大年撰。其父擇仁爲尚書。億仕至靜江倅，居餘干，_{廣棪案：元抄本、盧校本作「餘汗」，誤。}有溪園佳勝。

廣棪案：《宋史》卷二百八、〈志〉第一百六十一、〈藝文〉七、〈別集類〉著錄：「吳億《溪園自怡集》十卷。」即此書。億，《宋史》無傳。《宋詩紀事》卷五十六「吳億」條載：「億字大年，蘄春人，仕至靜江倅，有《溪園集》。」《全宋詞》「吳億」條載：「億字大年，蘄春人。父擇仁，官尚書。億於南渡初爲靖江倅，居餘干。著有《溪園自怡集》。」均可參證。

世傳其「樓雪初銷」詞，爲建康帥晁謙之作。

案：曾慥《樂府雅詞拾遺》卷上有億詞〈燭影搖紅_{上晁共道}〉曰：「樓雪初消，麗譙吹罷單于晚。使君千炬起班春，歌吹香風暖。十里珠簾盡捲。正人在、蓬壺閬苑。賣薪買酒，立馬傳觴，昇平重見。　　　誰識鼇頭，

去年曾侍傳柑宴。至今衣袖帶天香，行處氤氳滿。已是春宵苦短。且莫遣、歡遊意懶。細聽歸路，璧月光中，玉簫聲遠。」謙之，《宋史》無傳。《宋詩紀事》卷四十二「晁謙之」條載：「謙之字恭道。居信州。紹興間以敷文閣直學士知建康。」可參證。恭道即共道。

于湖集四十卷

《于湖集》四十卷，中書舍人歷陽張孝祥安國撰。

　　廣棪案：《讀書附志》卷下、〈別集類〉四著錄：「《于湖居士文集》四十卷。」陸世良《宣城張氏信譜傳》亦謂「詩詞雄麗，尤工古調，有《于湖集》四十卷。」與此同。孝祥字安國，歷陽烏江人。孝宗時除中書舍人。陸世良另撰有〈張安國傳〉，《宋史》卷三百八十九、〈列傳〉第一百四十八亦有傳，多據世良所撰。

甲戌冠多士，出思陵親擢，秦相孫壎遂居其下。秦忌惡之，以他事下其父子大理獄。明年秦亡，上既素眷，不五年登法從。

　　案：思陵，指高宗。〈張安國傳〉載：「孝祥字安國，歷陽烏江人，籍之七代孫，邵之從子也。讀書一過目不忘，下筆頃刻數千言。年十六領鄉書，再舉冠里選，紹興二十四年，廷試第一。策問師學淵源，秦熺之子壎與曹冠皆力攻秦氏專門之學，孝祥獨不攻。考官魏師遜已定壎冠多士，孝祥次之，曹冠又次之。高宗讀策，皆檜、熺語，於是擢祥第一，而壎第三，御筆批云：『議論確正，詞翰爽美，宜以為第一。』在廷百官，莫不歎羨，都人士爭錄其策而求識面。授承事郎、簽書鎮東軍節度判官。先是，上之抑壎而擢孝祥也，秦檜已怒，既知孝祥乃祁之子，祁與胡寅厚，檜數憾寅。且唱第後，曹泳揖孝祥於殿廷以請婚，孝祥不答，泳〔憾〕（撼）之。於是風言者誣祁有反謀，詔繫獄。會檜死，上郊祀之二日，魏良臣密奏散獄釋罪，遂以孝祥為祕書省正字。故事，殿試第一人，次舉始召，孝祥第甫一年，得召由此。」均可參證。

阜陵尤眷之。不幸不得年，死時財四十餘。上嘗有「用不盡」之歎。_廣棪案：《文獻通考》「嘗」作「常」。又據〈張安國傳〉，「用不盡」應作「用才不盡」。

　　案：阜陵即孝宗。〈張安國傳〉載：「請祠，會以疾終卒。孝宗惜之，有

用才不盡之嘆。進顯謨閣直學士致仕，年三十八。」《宋史》孝祥本傳同。惟此段文字似有錯簡，疑當作：「請祠，進顯謨閣直學士致仕，年三十八。會以疾終卒。孝宗惜之，有用才不盡之嘆。」考〈宣城張氏信譜傳〉載：「公諱孝祥，字安國，學者稱爲于湖先生。……紹興甲戌（廿四年，1154）廷試擢進士第一，時年二十有三。……乾道五年己丑（1169）偶不豫，遂力請祠侍親，疏凡數上。帝深惜之，進顯謨閣直學士致仕。……庚寅（六年，1170）冬，疾復作，遂卒。……帝聞之，惜其有用才不盡之嘆。」足證〈張安國傳〉文字有顛倒錯亂也。又紹興甲戌，孝祥二十三歲；而卒年爲乾道庚寅多，以西元計算已屬 1171 年，則其卒謂三十九或四十均可。《宋史》本傳據〈張安國傳〉，作三十八，顯誤。

其文翰皆超逸天才也。

案：〈張安國傳〉載：「孝祥俊逸，文章過人，尤工翰墨，嘗親書奏劄，高宗見之，曰：『必將名世。』」《宋史》本傳同。《讀書附志》著錄：「《于湖居士文集》四十卷。右張孝祥字安國之文也。安國，歷陽人。紹興甲戌大魁多士，明年入館，浸登清華，至中書舍人，出典藩郡。孝宗皇帝嘗有用不盡之嘆。安國筆法妙天下，希弁伯祖伯崇得其詩，曰：『趙侯富貴種，而有巖壑姿。同姓古所敦，早晚蹋天墀。』又云：『德高欲余作字，醉中不能謹也。安國書。』德高乃伯祖字也。」可參證。

南軒集三十卷

《南軒集》三十卷，侍講廣漢張栻敬夫撰。魏忠獻公浚之長子。

廣棪案：《讀書附志》卷下、〈別集類〉三著錄：「《高軒先生文集》四十四卷。右張宣公栻字敬夫之文也。朱文公校定而爲之〈序〉。然〈紫巖纂圖〉、跋語之類，皆不載於《集》中。」而《宋史》卷二百八、〈志〉第一百六十一、〈藝文〉七、〈別集類〉著錄：「張栻《南軒文集》四十八卷。」卷數均與《解題》不同。考《四庫全書總目》卷一百六十一、〈集部〉十四、〈別集類〉十四著錄：「《南軒集》四十四卷，浙江鮑士恭家藏本。宋張栻撰。栻字敬夫，廣漢人。丞相浚之子。以蔭補官。孝宗時歷左司員外郎，除祕閣修撰，終於荊湖北路安撫使。事蹟具《宋史·道學傳》。栻歿之後，其弟杓裒其故藁四巨編，屬朱子論定。朱子又訪得

四方學者所傳數十篇，益以平日往還書疏，編次繕寫。未及蕆事，而已有刻其別本流傳者。朱子以所刻之本多早年未定之論，而末年談經論事，發明道要之語，反多所佚遺。乃取前所蒐輯，參互相校，斷以栻晚歲之學，定爲四十四卷。併詳述所以改編之故，弁於書首。即今所傳淳熙甲辰本也。」是則四十四卷本乃朱子改編之淳熙甲辰本，四十八卷乃流傳之別本，而直齋所得者則一不完之本也。栻字敬夫，丞相浚之子。孝宗時兼侍講。《宋史》卷四百二十九、〈列傳〉第一百八十八、〈道學〉三有傳。

當孝宗朝，以任子不賜第入西掖者，韓元吉、劉孝韙，其入經筵則栻也。

案：《宋史翼》卷十四、〈列傳〉第十四、〈韓元吉〉載：「嘗赴詞科不利，以蔭爲處州龍泉縣主簿。」《宋史紀事》卷五十六「劉孝韙」條載：「孝韙字正夫。乾、淳間以門蔭仕，累官直祕閣，提舉兩浙常平，除直徽猷閣。」而《宋史》栻本傳載：「兼侍講，除左司員外郎。講《詩・葛覃》，進說：『治生於敬畏，亂起於驕淫。使爲國者每念稼穡之勞，而其后妃不忘織紝之事，則心不存者寡矣。』因上陳祖宗自家刑國之懿，下斥今日興利擾民之害。上歎曰：『此王安石所謂「人言不足恤」者，所以爲誤國也。』」是入經筵者張栻也。

王司業集二十卷

《王司業集》二十卷，館臣案：《文獻通考》作三十卷。國子司業宛丘王**遘**致君撰。建炎初，其家避亂，廣棪案：《文獻通考》作「避狄」，元抄本、盧校本同。沿汴南下，**遘**年十一，偶小泊登岸，**敵**適至，廣棪案：《文獻通考》「敵」作「虜」。**亟**解維不暇顧，遂失之。在金十年，廣棪案：《文獻通考》「金」作「虜」。**間關得歸。**

廣棪案：《宋志》未著錄此書，惟周必大《周文忠公集》卷五十二、〈序〉有〈王致君司業文集序〉，所序即此書。其〈序〉曰：「志氣不強不足以言文，學問不博不足以言文。司業王君，吾能言之。志氣強者也，學問博者也，故其文章贍而不失之泛，嚴而不失之拘，議論馳騁于千百載之上，而究極於四方萬里之遠。其爲歌詩，慷慨憂時，而比興存焉。他文閎辯該貫，直欲措諸事業，所謂援古證今，黼黻其辭，特餘事耳。既沒

之十九年，嗣子中行類遺編，成二十卷，求予為〈序〉。君諱逨，字致君，世家宛丘。生十有一歲，當建炎戊申，北兵破陳，為其所俘。轉徙河朔者十年，戎馬中編簡蕩然，僅得《春秋左氏傳》、班固《西漢書》，晝夜誦之，一字不遺。和議成，間道歸。其父尚書公於浙東，父母兄弟相見已，即提書入太學，益從師友盡讀諸子百家，日萬餘言，遂擢進士第。凡中原所親歷，平昔所講畫，敵已在其目中。又從知己視師荊襄，然後南北形勝，表裏洞達，落筆輒數千言，舉天下事如指諸掌。孝宗奇之。擢御史諫官，將行其言。旋出為二千石部刺史，而簡注不衰。迨淳熙四年為少司成，選迓敵使，方嚮於用。年六十而卒，其所抱負百未一究也。予與君家契且舊，每悲君之不遇，既敘其文，復紀其平生大略如此。後有君子為國惜才者，必將歎息於斯焉。慶元二年十月十五日具位，周某序。」可參考。王逨，《宋史》亦無傳。惟樓鑰《攻媿集》卷九十、〈行狀〉有〈國子司業王公行狀〉，所記逨生平事蹟甚詳。云：「公諱逨，字致君，姓王氏，上世居大名，蓋三槐晉公之別派。會河決，遷墳墓于洛，高祖贈吏部尚書軫徙于陳宛丘。建炎南渡，待制再為戶部侍郎，終工部尚書，寓居越之餘姚，今遂為餘姚人。公幼警悟絕人，書一讀輒不忘。建炎二年，金人破宛丘，公年十一被擄，能以婉言脫禍至幽燕。久之曾調發騷動，脫身走河朔，復歸宛丘，日為南向計，嘗默寫舊所記《論》、《孟》、《六經》、《爾雅》，教受汝潁間。時作歌詩，蓋未嘗一飯忘君親也。紹興八年，中原戍兵有自拔而南者，公與之俱，遂達行在所。」可參證。

其父，工部尚書俁也。 廣棪案：《文獻通考》無「也」字。

案：〈國子司業王公行狀〉載：「父俁，左中大夫，充敷文閣待制，致仕贈光祿大夫。」「俁」字乃「俁」之誤。汪藻《浮溪集》卷九、〈外制〉有〈胡舜陟胡唐老姚舜朋王俁各降兩官制〉，此〈制〉所提及之王俁，即逨之父。《宋人傳記資料索引》有王俁資料，曰：「王俁，字碩夫，其先大名人，徙宛丘，南渡後家餘姚。政和進士，歷陞兩浙計度轉運使。秦檜專國，俁居家二十八年。檜死，起知明州，除工部尚書。俁節行剛方，為中興名臣。」可參證。

既歸，入太學，登癸未科，

案：〈國子司業王公行狀〉載：「自是益耽玩書史，一試入太學，在諸生

間已知名。……隆興改元，中進士第。」考隆興元年（1163），歲次癸未，是歲遂登科。

為諫官、御史，歷麾節，終于少司成。

案：〈國子司業王公行狀〉載：「明年（隆興三年）赴計院，上問北方人材于尹侍御樞，尹以公對。忽有旨引見，公奏對雍容，上喜曰：『早晚當用卿。』退除御史臺主簿。越七日，遷監察御史。……十一月，擢右正言，……除吏部郎官供職。一日，力求外補，除直祕閣知鄂州。尋以母老丐祠，主管台州崇道觀。乾道三年，除知台州，會永嘉闕守，執政以海溢之後艱其選，擬試郡有績效者五人。上曰：『近嘗令王某守台州未行，此良吏也。』遂除知溫州。……四年，改荊湖南路提舉常平茶鹽公事。丁內艱，服除，提舉福建路常平茶事。……九年丐歸，主管台州崇道觀。淳熙改元，除荊湖路轉運判官。明年入對，……遂留爲吏部郎官。三年遷軍器監。……四年，……至九月，遂除國子司業。公在學校久，士子素所欽服。人情翕然，謹守規繩，始終如一。公嘗得喝疾，至是復作謁告，未滿求致其事，遂以五年二月二十八日，終于官舍，享年六十有二。」可參證。

浮山集十六卷

《浮山集》十六卷，左朝請大夫江都仲并彌性撰。

廣棪案：《宋史》卷二百八、〈志〉第一百六十一、〈藝文〉七、〈別集類〉著錄：「仲并《浮山集》十六卷。」與此同。并字彌性，揚州江都人。《宋史翼》卷二十八、〈列傳〉第二十八、〈文苑〉三有傳，未載曾除左朝請大夫。

紹聖壬子進士。

案：《宋史翼》仲并本傳載：「紹興壬子進士，累官平江府學教授。」壬子，紹興二年（1132）。

晚丞光祿寺，得知蘄州。并嘗倅湖，籍中有所盼，為作〈生朝青詞〉，好事者傳誦之，遂漏露，坐謫官，其〈訓詞〉略曰：「爾為瀆侮之詞，曾弗知畏天，廣棪案：《文獻通考》「弗」作「不」。其知畏吾法乎？」吾鄉前輩能道其事如此。

案:《宋史翼》仲并本傳載:「言者希(秦)檜意,劾并前通判湖州日,爲
籍中聲妓楊韻作生朝,設醮〈青詞〉,降三官。自是棲遲閒退者二十年。
孝宗初元,擢光祿丞,知蘄州終。著有《浮山集》十六卷。《繫年要錄》」,
參周必大《平園集》、陳振孫《書錄解題》、《玉照新志》。」可參證。然《四庫全書
總目》卷一百五十八、〈集部〉十一、〈別集類〉十一著錄:「《浮山集》
十卷,《永樂大典》本。宋仲并撰。并字彌性,江都人。《宋史‧藝文志》載
并《浮山集》十六卷,而不爲立傳。其事蹟遂無可考。惟周必大《平園
集》有所作并〈集序〉,稱并以紹興壬子擢進士第。甲寅以丞相朱勝非等
論薦,改京秩,尋補外去。後三年丁巳,復以張浚薦,召至闕,爲秦檜
所阻,改倅京口。自是閒退者二十年。孝宗即位,擢光祿丞,出知蘄州。
所紀歷官本末頗詳。然考《集》中〈謝宰相啓〉有『釁序初除』語,則
嘗爲教官。又〈原弊錄序〉自稱『監臨猥局』,則嘗爲監場官。又多與平
江、淮西、南安、建康、湖州諸守臣代作表啓,則嘗歷佐諸郡。而必大
〈序〉俱未之及,殆以其無關出處略之也。必大又稱并力排王氏之說,
惟孔、孟是師。其初任京秩時,王居正所草〈制詞〉,亦有學知是非邪正
之褒。而陳振孫《書錄解題》乃稱其官湖倅時,爲籍中妓作〈生朝青詞〉,
坐是謫官。與其素行不相類,頗不可解。考《集》中〈陳情啓〉有『旁
觀下石,仇家謗傷』之語,意其即指是事歟?又《集》中有〈回孟郡王
姻禮書〉,郡王,隆祐太后之姪孟忠厚也。《宋史‧外戚傳》稱忠厚與秦
檜爲僚壻,而檜實陰忌之。又稱檜當國,親姻攀援以進,忠厚獨與之忤。
王明清《揮麈錄》稱吳棫爲忠厚草表,因忤秦檜,謫判泉州。然則并之
見惡於檜,殆以孟氏姻黨之故,故竟以微罪坐廢也。」則以《解題》所
載爲籍中妓作〈生朝青詞〉,乃被仇家謗傷,可參考。

小醜集十二卷、續集三卷

《小醜集》十二卷、《續集》三卷,直祕閣眉山任盡言元受撰。

廣枝案:《宋史》卷二百八、〈志〉第一百六十一、〈藝文〉七、〈別集類〉
著錄:「任正言《小醜集》十二卷,又《續集》五卷。」《宋志》作「正
言」,誤;又《續集》作五卷,與《解題》異。盡言字元受,眉山人,《宋
史翼》卷二十八、〈列傳〉第二十八、〈文苑〉三有傳,未云直秘閣。

元符諫官伯雨之孫，

　　案：《宋史翼》盡言本傳載：「任盡言字元受，右正言伯雨之孫。」考伯雨，《宋史》卷三百四十五、〈列傳〉第一百四載：「任伯雨字德翁，眉州眉山人。……使者上其狀，召爲大宗正丞，甫至，擢右正言。時徽宗初政，納用讜論，伯雨首擊章惇。」元符，哲宗年號，凡三年。或伯雨除右正言在元符三年，故《解題》稱爲「元符諫官」。

紹興從臣申先之子。

　　案：《宋元學案》卷九十九、〈蘇氏蜀學略・司戶家學〉「庶官任先生盡言」條載：「任盡言，字元受，華亭人，象先之子。」《宋史》卷三百四十五、〈列傳〉第一百四、〈任伯雨〉載：「長子象先，登世科，又中詞學兼茂舉，有司啓封，見爲黨人子，不奏名，調秦州戶曹掾。聞父謫，棄官歸養。王安中辟燕山宣撫幕，勉應之，道引疾還，終身不復仕。申先以布衣特起至中書舍人。」是象先，伯雨長子；而申先，伯雨次子，盡言父也。

乙卯甲科，_{廣棪案：《文獻通考》闕「乙卯」二字。}仕爲太常寺主簿，終于閩憲。

　　案：莊仲方《南宋文範作者考》上載：「任盡言字元受，眉山人。元符諫官伯雨之孫。與兄質言同舉高宗紹興五年進士，仕太常寺主簿，官終閩憲。論事慷慨。著《小醜集》，今佚。」乙卯，即紹興五年（1135）。惟《宋史翼》盡言本傳作「紹興二年進士第」，誤。

拙齋集二十二卷

《拙齋集》二十二卷，校書郎侯官林之奇少穎撰。之奇學于呂本中，而太史祖謙學于之奇。其登第當紹興辛未，年已四十，未幾即入館。方鄉用，而得末疾。

　　廣棪案：《宋志》未著錄此書。之奇，《宋史》卷四百三十三、〈列傳〉第一百九十三、〈儒林〉三載：「林之奇字少穎，福州侯官人。紫微舍人呂本中入閩，之奇甫冠，從本中學。時將試禮部，行次衢州，以不得事親而反。學益力，本中奇之，由是學者踵至。中紹興二十一年進士第，調莆田簿，改尉長汀，召爲祕書省正字，轉校書郎。……以痹疾乞外，由

宗正丞提舉閩舶，參帥議，遂以祠祿家居，自稱拙齋。東萊呂祖謙嘗受學焉。淳熙三年，卒，年六十有五。」莊仲方《南宋文範作者考》上亦載：「林之奇字少穎，號拙齋，侯官人。官至宗正丞。辭祿家居，受業於呂本中，以授呂祖謙，著述甚富，有《尚書全解》、《拙齋全集》。」可參證。

霜傑集三十卷

《霜傑集》三十卷，德興董穎仲達撰。紹興初人。從汪彥章、徐師川游。

　　廣棪案：《宋志》未著錄此書。《宋元學案補遺》卷二十五、〈龜山學案補遺・師川門人〉「學正董先生穎」條載：「董穎字仲達，德興人。紹興初從汪彥章、徐師川遊，著有《霜傑集》三十卷。《直齋書錄解題》。梓材謹案：《萬姓統譜》言先生以高第官學正，學識醇正，朱文公嘗敘其《集》云。」彥章即汪藻，《宋史》卷四百四十五、〈列傳〉第二百四、〈文苑〉七有傳，著有《浮溪集》。師川即徐俯，《宋史》卷三百七十二、〈列傳〉第一百三十一有傳。史稱：「內侍鄭諶識俯於江西，重其詩，薦於高宗。胡直孺在經筵，汪藻在翰苑，迭薦之，遂以俯為右諫議大夫。」可悉汪、徐情誼。

彥章為作〈序〉。

　　案：《浮溪集》卷十七、〈序跋〉十四，闕此〈序〉，恐已佚。《宋人傳記資料索引》載：「董穎，字仲達，德興人。宣和元年進士，官學正。紹興初從汪藻、徐俯遊。有《霜傑集》三十卷。朱熹嘗敘之。」謂朱熹作〈序〉，蓋據《萬姓統譜》也。

妙筆集四十卷　廣棪案：應作「妙峰集」。

《妙筆集》四十卷，館臣案：《文獻通考》「妙筆」作「妙峰」。　廣棪案：元抄本同，《四庫全書》本誤。中書舍人福清林遹述中撰。元符三年甲科。苗、劉之變，在西掖不失節，思陵嘉之。終龍圖閣直學士。

　　廣棪案：《宋志》未著錄此書，林遹，《宋史》亦無傳。《宋元學案補遺》卷三十五、〈陳鄒諸儒學案補遺・附錄〉「舍人林先生□」條載：「林□，官中書舍人。方維揚播遷，繼以武林多故，如風濤然，天下寒心。自先

生一去，天下翕然知尊君戴上。曾不浹辰，克戡大憝，乾清坤夷，宗廟如故。天下公議謂是時微先生倡大義，社稷幾殆。大駕移狩東越，復以舍人起先生。頃之，以選抗節番禺，陛辭之日，上念曩節，制詔進直龍圖，以褒寵忠藎。元符閒，正言鄒浩以諫獲罪，遷新州，先生時爲太學諸生，毅然出餞國門之外。時謂自徐晦送楊臨賀以來，數百年惟李師中送唐介，與先生三人而已。《胡澹庵集》。」「林□」，即林遹也。《宋人傳記資料索引》載：「林遹，字述中，福清人。元符三年進士，建炎中再爲中書舍人，終大中大夫、龍圖閣學士，知廣州，贈少師。有《妙峰集》。」均可參證。

鄮峰真隱漫錄五十卷

《鄮峰真隱漫錄》五十卷，丞相文惠公四明史浩直翁撰。

　　廣棪案：《宋史》卷二百八、〈志〉第一百六十一、〈藝文〉七、〈別集類〉著錄：「史浩《真隱漫錄》五十卷。」即此書。浩字直翁，明州鄞縣人。孝宗時爲右丞相，寧宗登極，賜諡文惠。《宋史》卷三百九十六、〈列傳〉第一百五十五有傳。

誌癡符二十卷

《誌癡符》二十卷，御史臨海李庚子長撰。

　　廣棪案：《宋志》未著錄此書。庚，《宋史》無傳。考陳耆卿《赤城志》卷三十三、〈人物門〉二、〈本朝・仕進・進士科〉「紹興十五年劉章榜」條載：「李庚，臨海人，字子長，歷御史臺主簿、監察御史、兵部郎中，繼奉祠，提舉江東常平，知南劍、撫二州，後知袁州，未上卒。有集號《誌癡符》，樓參政鑰爲之〈序〉。」可參證。

「誌」之義，衒鬻也。市人鬻物於市，誇號之，曰「誌」。原註：去聲。廣棪案：《文獻通考》無原註。此三字本出《顏氏家訓》，以譏無才思而流布醜拙者，以名其《集》，示謙也。庚，乙丑進士，以湯鵬舉薦辟入臺，家藏書甚富。

　　案：樓鑰《攻媿集》卷五十二、〈序・誌癡符序〉載：「客有以書一編示

余曰：『此赤城李公察院所爲詩文，名曰《詅癡符》。公亡矣，莫曉其名書之意。』余曰：『公於書無不讀，此名殆不苟也。海邦貨魚於市者，夸謬其美，謂之詅魚。雖微物亦然，字書以爲詅，衒賣也。顏黃門之推作《家訓》，曰：「吾見世人至無才思，自謂清華，流布醜拙，亦已眾矣。江南號爲『詅癡符』。」公之意，蓋出於此，特謙辭耳。』公諱庚，子長其字也。少年筆力絕人，始爲長沙尉，一時帥守部使者傾待之，皆以牋翰委。公從容泛應，無不曲當。時余伯父揚州爲漕使，公首以長牋進謁，有曰：『衰懷錯落，有秋風鱸鱠之思；舊學荒涼，無春草池塘之夢。』伯父一見擊賞，延爲賓客，不復以寮吏遇之。湯公參政，時帥湖南，後爲中司，遂辟公檢法官，遷六察爲郎而歸。自此三數十年間，僅一再以麾節出級，不得爲文字官，以展究所長，識者恨之。余倅丹丘，始得拜公之門。公方買屋近郊，古木交陰，庭草錯列，若隱士居。聚書數萬卷於樓上，閉門不與人通。老矣，猶沈酣其中，里閭罕識其面。間與人接，雖微賤必與之抗禮。後生有以經史叩請，隨即響答。詩文晚益高，時出一篇，即日傳誦。哀挽之作，尤爲悽惋，眞可以泣鬼神也。公之子澎因求余序其首，余度公所著甚多，猶有遺著，更搜故藁，盡出而行於世，以慰其平生筆硯之功，則箕裘可以不墜矣。陳子高克，台人也，詩名已久，而所傳不多。公嘗盡得其遺逸者板行於江右，視舊殆過倍蓰，而子高之詩益顯，公亦將以此望於後人乎？然讀此編者，亦足以知公之所存矣！」可參證。觀樓〈序〉，則知直齋《解題》中所釋「詅」字之義，乃一依樓攻媿者。乙丑，紹興十五年（1145）。

梯雲集二十五卷

《梯雲集》二十五卷，中書舍人資川趙逵莊叔撰。

廣校案：《宋史》卷二百八、〈志〉第一百六十一、〈藝文〉七、〈別集類〉著錄：「趙逵《棲雲集》二十五卷，《黃策集》四十卷。」逵字莊叔，其先秦人，八世祖處榮徙蜀，家於資川。高宗時除中書舍人。《宋史》卷三百八十一、〈列傳〉第一百四十有傳。謂「有《棲雲集》三十卷。」卷數與《宋志》不同。疑書名應作「《棲雲集》」，《解題》誤。

辛未大魁。有氣節。四十一歲卒。

案：《宋史》逵本傳載：「趙逵字莊叔，其先秦人，八世祖處榮徙蜀，家
於資州。逵讀書數行俱下，尤好聚古書，考歷代興衰治亂之迹，與當代
名人鉅公出處大節，根窮底究，尚友其人。紹興二十年，類省奏名，明
年對策，論君臣父子之情甚切，擢第一。時秦檜意有所屬，而逵對獨當
帝意，檜不悅。……既就職，未嘗私謁，檜意愈恨。……逵賡御製〈芝
草詩〉，有『皇心未敢晏安圖』之句，檜見之怒曰：『逵猶以爲未太平耶？』
又謂逵曰：『館中祿薄，能以家來乎？』逵曰：『親老不能涉險遠。』檜
徐曰：『當以百金爲助。』逵唯唯而已。又遣所親申前言，諷逵往謝，逵
不答，檜滋怒，欲擠之，未及而死。……二十六年，遷著作郎，尋除起
居郎。入謝，帝又曰：『秦檜炎炎，不附者惟卿一人。』逵曰：『臣不能
效古人抗折權奸，但不與之同爾，然所以事宰相禮亦不敢闕。』又曰：『受
陛下爵祿而奔走權門，臣不惟不敢，亦且不忍。』……逵以疾求外，帝
命國醫王繼先視疾，不可爲矣。卒年四十一。帝爲之技淚嘆息。逵嘗自
謂：『司馬溫公不近非色，不取非財，吾雖不肖，庶幾慕之。』」可參證。
辛未，紹興二十一年（1151）。

海陵集三十二卷

《海陵集》三十二卷，同知樞密院海陵周麟之茂振撰。廣棪案：《文獻通考》
闕「樞」字，元抄本、盧校本同。乙丑進士，戊辰詞科。既執政，被命使金
亮，廣棪案：《文獻通考》作「虜亮」。辭行得罪，去。

廣棪案：《宋史》卷二百八、〈志〉第一百六十一、〈藝文〉七、〈別集類〉
著錄：「周麟之《海陵集》二十三卷。」所著錄卷數與《解題》不同，未
知孰是？麟之字茂振，海陵人，紹興三十年除同知樞密院。《宋史翼》卷
十三、〈列傳〉第十三載：「周麟之字茂振，海陵人。《館閣錄》作江寧人。紹
興十五年進士，治《春秋》，授武進尉。十八年正月，應博學宏詞合格，
除左修職郎。……二十九年爲翰林學士，修國史兼侍讀，權刑部侍郎，
充金奉表哀謝使。金主亮喜其辨利，錫賚加厚，燕之二日。……三十
年，……四月，上書『玉堂』二大字賜之，除同知樞密院事。明年，金
亮將叛盟，充奉表稱賀使，乃上疏曰，……疏入，上大怒。右司諫梁仲

敏、殿中侍御史杜莘老劾其懷姦避事，罷與宮觀。仲敏、莘老再上章論之，責授左朝散大夫、秘書少監，分司南京，筠州居住。《要錄》一百九十。」可參證。乙丑，紹興十五年（1145）；戊辰，紹興十八年（1148）。

胡獻簡詞垣草四卷

《胡獻簡詞垣草》四卷，禮部尚書會稽胡沂周伯撰。

> 廣棪案：《宋志》未著錄此書。沂字周伯，紹興餘姚人。紹興五年進士甲科。乾道八年，以待制除太子詹事，尋復拜給事中，進禮部尚書並兼領詹事，又改侍讀。淳熙元年卒，年六十八。諡獻肅。《宋史》卷三百八十八、〈列傳〉第一百四十七有傳。疑書名應作《胡獻肅詞垣草》，直齋誤記。

介庵集十卷

《介庵集》十卷，左司郎官趙彥端德莊撰。

> 廣棪案：《宋史》卷二百八、〈志〉第一百六十一、〈藝文〉七、〈別集類〉著錄：「趙彥端《介庵集》十卷，又《外集》三卷、《介庵詞》四卷。」彥端，《宋史》無傳。《宋詩紀事》卷八十五「趙彥端」條載：「彥端字德莊，魏王廷美七世孫。乾道、淳熙閒以直寶文閣知建寧府，終左司郎官，有《介菴集》。」其生平詳見韓元吉《南澗甲乙稿》卷二十一、〈墓誌銘·直寶文閣趙公墓誌銘〉，惟稱除左司郎中。

乾、淳間名士也，嘗宰餘干。

> 案：〈直寶文閣趙公墓誌銘〉載：「坐衢州帳歷稽期，削兩秩。德莊恬弗辯，以小疾，主管台州崇道觀。餘干號佳山水，所居最勝，日與賓客觴詠自怡，好事者以為有曠達之風。」可參證。

趙忠定，其邑人，初冠多士。德莊在朝，往謁謝，德莊語之曰：「謹勿以一魁先置胸中。」可謂名言。

> 案：《宋元學案補遺》卷四十六、〈玉山學案補遺·趙氏講友〉「縣令趙先生彥端」條載：「趙彥端字德莊，故餘干令，因家焉。與忠定父兄游。忠定初登第，謁先生。先生語之曰：『謹毋以一魁寘胸中。』又曰：『士大夫多爲富貴誘壞。』又曰：『今日于上前得一二語獎諭，明日于宰相處得

一二語褒拂，往往喪其所守者多矣。』忠定拱手曰：『謹受教。』《學圃餘力》。」忠定，趙汝愚也。《宋史》卷三百九十二、〈列傳〉第一百五十一有傳。

石湖集一百三十六卷

《石湖集》一百三十六卷，參政吳郡范成大致能撰。廣棪案：《文獻通考》作「至能」。

廣棪案：《宋史》卷二百八、〈志〉第一百六十一、〈藝文〉七、〈別集類〉著錄：「范成大《石湖居士文集》，卷亡。又《石湖別集》二十九卷、《石湖大全集》一百三十六卷。」是《解題》所著錄者，與《石湖大全集》為同一書。成大字致能，吳郡人。孝宗時拜參知政事。《宋史》卷三百八十六、〈列傳〉第一百四十五有傳。謂：「成大素有文名，尤工於詩。上嘗命陳俊卿擇文士掌內制，俊卿以成大及張震對。自號石湖，有《石湖集》、《攬轡錄》、《桂海虞衡集》行于世。」

初以起居郎使金，廣棪案：《文獻通考》作「使虜」。附奏受書事，抗金主於其殿陛間，廣棪案：《文獻通考》「抗金」作「抗虜」。歸而益被上眷，廣棪案：《文獻通考》「歸而」作「歸時」。以至柄用。

案：《宋史》成大本傳載：「(孝宗)隆興再講和，失定受書之禮，上嘗悔之。遷成大起居郎，假資政殿大學士，充金祈請國信使。國書專求陵寢，蓋泛使也。上面諭受書事，成大乞併載書中，不從。金迎使者慕成大名，至求巾幘效之。至燕山，密草奏，具言受書式，懷之入。初進國書，詞氣慷慨，金君臣方傾聽，成大忽奏曰：『兩朝既為叔姪，而受書禮未稱，臣有疏。』摺笏出之。金主大駭，曰：『此豈獻書處耶？』左右以笏標起之，成大屹不動，必欲書達。既而歸館所，金主遣伴使宣旨取奏。成大之未起也，金庭紛然，太子欲殺成大，越王止之，竟得全節而歸。除中書舍人。初，上書崔寔《政論》賜輔臣，成大奏曰：『御書《政論》，意在飭綱紀，振積敝，而近日大理議刑，遞加一等，此非以嚴致平，乃酷也。』上稱為知言。張說除簽書樞密院事，成大當制，留詞頭七日不下，又上疏言之，說命竟寢。」可參證。

石湖在太湖之濱，姑蘇臺之下，去城十餘里。面湖為堂，號鏡天閣，又一堂扁「石湖」二字，阜陵宸翰也。今日就荒毀，更數年，恐無復遺跡矣。頃一再過之，_{廣棪案：《文獻通考》無「頃」字。}為之慨然。

　　案：《讀書附志》卷上、〈地理類〉「《攬轡錄》二卷」條曰：「成大，字至能，_{廣棪案：應作「致能」。}吳縣人。紹興二十四年進士，使金歸，除中書舍人。淳熙五年，參知政事。自號石湖。孝宗皇帝御書二字以賜之。」考明錢穀《吳都文粹續集》卷十七有范成大〈御書石湖二大字跋〉云：「淳熙八年三月庚戌制書，擢臣居守金陵。閏六月丁亥朝行在所。庚寅辭後殿，翼日既望，詔錫清燕苑中。皇帝親御翰墨，大書『石湖』二字以賜。天縱聖能，游藝超絕，典則高古，如伏羲畫；體勢奇逸，如神禹碑。日光雲章，垂耀縑素，環列改觀，禁臠動色。臣驚定喜極，不知忭蹈。昧死奉觴，上千萬歲壽。奉寶書以出，越五日，至於石湖藏焉。石湖者，具區東匯，自為一壑，號稱嘉山水。臣少長釣游其間，結茆種木，久已成趣。春秋時，吳臺其陰，越城其陽，登臨訪古，往跡具在。汙榮露蔓，千七百餘年，莫有過而問者。今猥以臣故，徹聞高清，天光溥臨，燕及荒野。繇開闢來，未覿斯盛。裴度、李德裕皆唐宗臣，綠野平泉，亦聲震當代。揆今所蒙無傳焉。何物么麼，獨冒寵赫，百身萬殞，莫能負戴，臣蒲柳早秋，仕無補益。縣官尚婉晚不休，奸止足之戒，則將上累隆知，俯愧初服，臣用是懼。冀幸少日遂賜骸骨，歸老湖上，宿衛奎壁，與山川之神，暨猿鶴松桂，同在昭回中。一介姓名，亦因是不朽。使後世知臣屬厭榮祿，得全於桑榆，以無辱君賜，則陛下丕顯休命，不委於草莽，庶幾報恩之萬一。臣既摩刻扁榜，又被之琬琰以傳，且附著臣之自敘云爾。七月朔，端明殿學士、中大夫、知建康軍府事，兼管內勸農事，提轄本府界，界分諸舖，遞差充江南東路安撫使，馬步軍都摠管，兼營田使，兼行宮留守，吳縣開國伯，食邑七百戶，賜紫金魚袋，臣范成大拜手稽首謹書。」可參考。又《中國古今地名大辭典》載：「石湖，在江蘇吳縣盤門西南十里，界吳縣吳江間，范蠡所經入五湖者。諸峰映帶，風景絕勝。宋范成大因越來溪故址，小築臺榭。孝宗書『石湖』二字賜之，成大因自號石湖。」均可參證。阜陵即孝宗。

周益公集二百卷、年譜一卷、附錄一卷

《周益公集》二百卷、《年譜》一卷、《附錄》一卷，丞相益文忠公廬陵周必大子充撰。廣校案：《文獻通考》「益文忠公」作「文忠益公」。一字洪道。

廣校案：《文獻通考》作「弘道」。

廣校案：《宋史》卷二百八、〈志〉第一百六十一、〈藝文〉七、〈別集類〉著錄：「周必大《詞科舊藁》三卷、又《披垣類藁》七卷、《玉堂類藁》二十卷、《政府應制藁》一卷、《歷官表奏》十二卷、《省齋文藁》四十卷、《別藁》十卷、《平園續藁》四十卷、《承明集》十卷、《奏議》十二卷、《雜著述》二十三卷、《書藁》十五卷、《附錄》五卷。」合共一百九十八卷，應有散佚。必大字子充，一字洪道，其先鄭州管城人。祖詵，宣和中倅廬陵，因家焉。紹興二十年第進士。淳熙十四年二月拜右丞相。十六年拜左丞相。光宗即位，拜少保、益國公。慶元四年薨，年七十有九。贈太師，諡文忠。《宋史》卷三百九十一、〈列傳〉第一百五十有傳。

其家既刊《六一集》，故此《集》編次一切視其凡目，其間有《奉詔錄》、《親征錄》、《龍飛錄》、《思陵錄》，凡十一卷。以其多及時事，託言未刊，人莫之見。鄭子敬守吉，募工人印得之，余在莆田借錄為全書，然猶漫其數十處。廣校案：《文獻通考》無「猶」字。

案：《四庫全書總目》卷一百五十九、〈集部〉十二、〈別集類〉十二著錄：「《文忠集》二百卷，浙江鮑士恭家藏本。宋周必大撰。必大有《玉堂雜記》，已著錄。是《集》即史所稱《平園集》者是也。開禧中，其子綸所手訂。以其家嘗刻《六一集》，故編次一遵其凡例，為《省齋文藁》四十卷、《平園續藁》四十卷、《省齋別藁》十卷、《詞科舊藁》三卷、《披垣類藁》七卷、《玉堂類藁》二十卷、《政府應制藁》一卷、《歷官表奏》十二卷、《奏議》十二卷、《奉詔錄》七卷、《承明集》十卷、《辛巳親征錄》一卷、《龍飛錄》一卷、《歸廬陵日記》一卷、《閒居錄》一卷、《泛舟游山錄》三卷、《乾道庚寅奏事錄》一卷、《壬辰南歸錄》一卷、《思陵錄》一卷、《玉堂雜記》三卷、《二老堂詩話》二卷、《二老堂雜誌》五卷、《唐昌玉蕊辨證》一卷、《近體樂府》一卷、《書藁》三卷、《箚子》十一卷、《小簡》一卷。其《年譜》一卷，亦綸所編。又以〈祭文〉、〈行狀〉、〈諡誥〉、〈神道碑〉等別為《附錄》四卷終焉。陳振孫謂初刻時以《奉詔錄》、《親征錄》、《龍

飛錄》、《思陵錄》十一卷所言，多及時事，託言未刊。鄭子敬守吉時，募工人印得之。世始獲見完書。今雕本久佚，止存鈔帙。而《玉堂雜記》、《二老堂雜誌》等編，世亦多有別本單行者，已各著於錄。茲《集》所載，則依原書編次之例，仍爲錄入，以存其舊第焉。」可參證。子敬即鄭寅，鄭僑子，《宋史》無傳。《宋詩紀事補遺》卷之六十八「鄭寅」條載：「字子敬，仙遊人，以父任補官，歷知吉州。端平初，召爲左司郎中，權樞密院副都承旨，出知漳州卒。」是子敬知吉州時，募工人印此書。吉州即廬陵郡。

益公自號平園叟。

　　案：《宋史》必大本傳載：「自號平園老叟，著書八十一種，有《平園集》二百卷。」可參證。

渭南集三十卷、劍南詩藁、續藁八十七卷

《渭南集》三十卷、_{館臣案：《文獻通考》作二十卷。}　廣棪案：《文獻通考》作「三十卷」，館臣誤。《劍南詩藁》、《續藁》八十七卷，華文閣待制山陰陸游務觀撰。

　　廣棪案：《宋史》卷二百八、〈志〉第一百六十一、〈藝文〉七、〈別集類〉著錄：「陸游《劍南續藁》二十一卷，又《渭南集》五十卷。」所著錄卷數與《解題》不同。游字務觀，越州山陰人。《宋史》卷三百九十五、〈列傳〉第一百五十四有傳，謂嘉泰三年修孝宗、光宗《兩朝實錄》及《三朝史》成，升寶章閣待制。與《解題》稱「華文閣待制」不同。考《文獻通考》卷五十四、〈職官考〉八載：「華文閣_{學士、直學士、待制}。慶元二年置，藏孝宗御製。學士等官並十五年置。」又載：「寶章閣_{學士、直學士、待制}。寶慶二年置，藏寧宗御製，置學士等官。」慶元，爲寧宗年號，慶元僅六年，無十五年，《通考》所載「十」字衍。五年爲西元一一九九年。嘉泰亦寧宗年號，三年爲西元一二〇三年。而寶慶則理宗年號，二年爲西元一二二六年。是嘉泰三年寶章閣猶未置，足證《宋史》游本傳之「寶章閣待制」乃「華文閣待制」之誤。

左丞佃之孫。

　　案：《宋詩紀事》卷五十三「陸游」條載：「游字務觀，越州山陰人。佃

之孫，宰之子，以蔭補登仕郎。」考佃字農師，徽宗時除尚書右丞，轉左丞。《宋史》卷三百四十三、〈列傳〉第一百二有傳。

紹興末召對，賜出身。

案：《宋史》游本傳載：「陸游字務觀，越州山陰人。年十二能詩文，蔭補登仕郎。鎖廳薦送第一，秦檜孫塤適居其次，檜怒，至罪主司。明年，試禮部，主司復置游前列，檜顯黜之，由是爲所嫉。檜死，始赴福州寧德簿，以薦者除敕令所刪定官。時楊存中久掌禁旅，游力陳非便，上嘉其言，遂罷存中。中貴人有市北方珍玩以進者，游奏：『陛下以「損」名齋，自經籍翰墨外，屏而不御。小臣不體聖意，輒私買珍玩，虧損聖德，乞嚴行禁絕。』應詔言：『非宗室外家，雖實有勳勞，毋得輒加王爵。頃者有以師傅而領殿前都指揮使，復有以太尉而領閤門事，瀆亂名器，乞加訂正。』遷大理寺司直兼宗正簿。」可參證。

隆興初為樞密院_{廣棪案：《文獻通考》作「密院」，無「樞」字。}編修官，鄉用矣，坐漏泄省中語，阜陵以為反復，斥遠之。

案：《宋史》游本傳載：「孝宗即位，遷樞密院編修官兼編類聖政所檢討官。史浩、黃祖舜薦游善詞章，諳典故，召見，上曰：『游力學有聞，言論剴切。』遂賜進士出身。入對，言：『陛下初即位，乃信詔令以示人之時，而官吏將帥一切玩習，宜取其尤沮格者，與眾棄之。』……時龍大淵、曾覿用事，游爲樞臣張燾言：『覿、大淵招權植黨，熒惑聖聽，公及今不言，異日將不可去。』燾遽以聞，上詰語所自來，燾以游對。上怒，出通判建康府，尋易隆興府。言者論游交結臺諫，鼓唱是非，力說張浚用兵，免歸。久之，通判夔州。」可參證。

後以夔倅入蜀，益自放肆，不護細行，自號放翁。在蜀九年乃歸。晚由嚴陵召為南宮舍人。

案：《宋史》游本傳載：「范成大帥蜀，游爲參議官，以文字交，不拘禮法，人譏其頹放，因自號放翁。後累遷江西常平提舉。江西水災，奏：『撥義倉振濟，檄諸郡發粟以予民。』召還，給事中趙汝愚駁之，遂與祠。起知嚴州，過闕，陛辭，上諭曰：『嚴陵山水勝處，職事之暇，可以賦詠自適。』再召入見，上曰：『卿筆力回幹甚善，非他人可及。』除軍器少監。」據《宋史》則游由嚴陵召除者乃軍器少監，非南宮舍人。

將內禪，益公^{廣棪案}：《文獻通考》作「周益公」。薦直^{廣棪案}：《文獻通考》「直」
上有「其」字。北門，上終不用。

案：今人于北山《陸游年譜》載：「一一八九　淳熙十六年　己酉　六十
五歲　正月，學士院缺員額，周必大薦務觀可任，孝宗不許。」與《解
題》所記者為同一事。

及韓氏用事，游既挂冠久矣，有幼子澤不逮，為侂胄作〈南園記〉，起
為大蓬。以^{廣棪案}：《文獻通考》「以」上有「遂」字。次對再致仕。嘉定庚午，
年八十六而終。

案：《宋史》游本傳載：「(紹熙)三年，書成，遂升寶章閣待制，致仕。
游才氣超逸，尤長於詩。晚年再出，為韓侂胄撰〈南園閱古泉記〉，見
譏清議。朱熹嘗言：『其能太高，迹太近，恐為有力者所牽挽，不得全
其晚節。』蓋有先見之明焉。嘉定二年卒，年八十五。」考游有子七人，
第七子為陸子聿。又嘉定庚午為三年。有關游之卒年，歷來頗多聚訟。
于北山《陸游年譜》考之甚詳，曰：「務觀卒年，《宋史》本傳作嘉定二
年，年八十五。《山陰陸氏族譜》：『寧宗嘉定二年己巳十二月二十九日
卒，年八十五；(與令人)合葬五雲鄉盧家舋。至今崇祀鄉賢。四川夔州
亦立祠祀焉。』所載逝世年月，與《宋史》本傳合而更具體，似可從。
陳振孫、錢大昕兩家卒于八十六歲說，據夏曆計，非是。〔按〕務觀卒
年向有兩說。一說謂卒于宋寧宗嘉定二年，年八十五，以《宋史》本傳
為代表，張淏《寶慶會稽續志》、趙翼《陸放翁年譜》從之；一說謂卒
于嘉定三年，年八十六，以陳振孫《直齋書錄解題》為代表 (陳氏亦有時
謂年八十五卒，自相矛盾)，方回《瀛奎律髓》、錢大昕《陸放翁先生年譜》
從之。錢氏復有考證，謂據『殘暑纔屬爾，新春又及茲』，『嘉定三年正
月後，不知幾度醉春風』詩句，以為陳氏八十六歲說『蓋得其實』；《宋
史》本傳八十五歲說『殆考之未審爾』。用蓋、殆二詞，仍有推測未定
之意。本譜初版，據《山陰陸氏族譜》，亦主八十五歲說，對陳、錢二
說，置之存疑。頃讀務觀晚年弟子蘇泂《泠然齋詩集》卷六、〈金陵雜
興二百首〉(第十六首)，有云：『三山慘別是前年，除夜還家翁已仙。少
小知憐今老矣，每因詩句輒潸然。』此詩第二句七字，實可為八十五歲
說之力證。此除夜，定為嘉定二年除夜；如指三年除夜，以務觀之勤于

寫詩，一年中存詩豈僅有六、七首之理？蘇氏詩作之可貴，在于：（一）與務觀爲姻親。其外祖孫綜與務觀爲中表，二人自幼過從，情好甚篤。（二）與務觀爲近鄰。泂曾有詩說：『結屋清鏡濱。』（清鏡，指鑑湖，鑑湖亦名鏡湖。）『頗幸結屋今連閭。』（三）蘇氏親從務觀學詩，當務觀晚年家居時，過從甚密（與務觀諸子亦相稔），其言當可信。歷史人物生卒年代，倘遇中西曆跨年情況，即較複雜。故務觀卒年，從夏曆計，應書：嘉定二年；以公曆計，應書：一二一〇（一月廿六日）。〔按〕《族譜》志務觀卒于十二月二十九日（是年十二月爲小建，二十九日即除夕），核以泂詩『除夜還家翁已仙』，尚未敢確定。據詩意，務觀當卒于除夕稍前（約在臘月下旬數日中），泂始有恨不及見之感歎。然即非除夕，《族譜》所記，亦大體近是。頃復得《山陰梅湖陸氏譜》及手抄本《世德堂陸氏宗譜》，病卒年月日與《山陰陸氏族譜同》。」是則游之卒年，應從《宋史》。

游才甚高，幼爲曾吉父所賞識。廣枝案：「吉父」應作「吉甫」，據《宋史》本傳。惟「父」、「甫」，二字古通用。**詩爲中興之冠，他文亦佳，而詩最富，至萬餘篇，古今未有，故文與詩別行。**

案：曾幾字吉甫，諡文清，其先贛州人，徙河南府。《宋史》卷三百八十二、〈列傳〉第一百四十一有傳。考《渭南文集》卷十四、〈呂居仁集序〉，中云：「公平生所爲詩，既已孤行於世。嗣孫祖平又盡裒他文凡若干首，爲若干卷，而屬某爲〈序〉。某自童子時讀公詩文，願學焉。稍長，未能遠遊，而公捐館舍。晚見曾文清公，文清謂某：『君之詩淵源殆自呂紫微，恨不一識面。』某於是尤以爲恨。則今得託名公《集》之首，豈非幸歟？慶元二年九月既望，中大夫、提舉建寧府武夷山沖佑觀，山陰陸某謹序。」是則《解題》所云爲曾幾賞識者，殆指此。劉克莊《後村詩話・前集》卷二曰：「近歲詩人，雜博者惟對仗，空疏者窘材料，出奇者費搜索，縛律者少變化。惟放翁記問足以貫通，力量足以驅使，才思足以發越，氣魄足以陵暴，南渡而後，故當爲一大宗。」所評與直齋相近。

渭南者，封渭南縣伯。

案：考《渭南文集》卷第二十一、〈仁和縣重修先聖廟記〉，末署「〔開禧〕三年正月戊寅，太中大夫、寶謨閣待制致仕，渭南縣開國伯，食邑八百

戶，賜紫金魚袋陸某記。」又《劍南詩稿》〈恩封渭南伯唐詩人趙嘏爲渭南尉當時謂之趙渭南後來將以予爲陸渭南乎戲作長句〉云：「老向人閒久倦遊，君恩乞與渭川秋。虛名定作陳驚坐，好句眞慙趙倚樓。棧豆十年霑病馬，烟波萬里著浮鷗。就封他日輕裘去，應過三峰處處留。」是游曾封渭南縣開國伯之證。

復齋制表二卷

《復齋制表》二卷，刑部侍郎王秬嘉叟撰。初寮安中之孫，紹興、乾道間名士也，陸放翁與之厚善。

　　廣棪案：《宋史》卷二百八、〈志〉第一百六十一、〈藝文〉七、〈別集類〉著錄：「王秬《復齋制表》一卷。」所著錄卷數不同。秬，《宋史》無傳。《宋元學案補遺》卷一、〈安定學案補遺·文肅門人〉「侍郎王先生秬」條載：「王秬字嘉叟，號復齋，中山故家也。官刑部侍郎。以李文肅之高第，受知於張忠獻公，而周旋乎陳正獻、虞忠肅、劉忠肅、張忠簡、胡忠簡、汪玉山、王梅溪、張于湖閒，目接南渡諸賢，耳逮北方餘論。其發爲論諫，忠忱惻怛，如首言金必敗盟，忠獻必可用，俘虜必不可遣，張說必不可本兵，皆言人所難。《魏鶴山集》。梓材謹案：先生爲初寮之孫，著有《復齋制表》二卷。《直齋書錄解題》云：『紹興、乾道閒名士也，陸放翁與善。』」又《附錄》載：「程雪樓〈題王氏遺書〉曰：『嘉叟從張魏公遊，人品自不待論，翰墨猶犖犖有奇氣。』」《宋詩紀事》卷五十一「王秬」條載：「秬字嘉叟，安中孫。寓居泉南。紹興閒官至刑部侍郎。」均可參證。王安中字履道，中山陽曲人。有《初寮集》七十六卷，傳于世。《宋史》卷三百五十二、〈列傳〉第一百一十一有傳。

盤洲集八十卷

《盤洲集》八十卷，丞相文惠公鄱陽洪适景伯撰。

　　廣棪案：《宋史》卷二百八、〈志〉第一百六十一、〈藝文〉七、〈別集類〉著錄：「洪适《盤洲集》八十卷。」與此同。适字景伯，番易人。宋孝宗時爲丞相，卒謚文惠。《宋史》卷三百七十三、〈列傳〉第一百三十二附其父〈洪皓〉。

忠宣之長子。方奉使時，文惠甫十三歲，後與其弟遵同中壬戌宏博科。
本名造，後改焉。又三年乙丑，弟邁繼之，世號三洪。

案：《宋史》适本傳載：「适字景伯，皓長子也。幼敏悟，日誦三千言。
皓使朔方，适年甫十三，能任家事。以皓出使恩，補修職郎。紹興十二
年，與弟遵同中博學宏詞科。高宗曰：『父在遠方，子能自立，此忠義報
也，宜升擢。』遂除敕令所刪定官。後三年，弟邁亦中是選，由是三洪
文名滿天下。」可參證。

其自淮東總領入為太常少卿，一年而入右府，又半年而拜相，然在位僅
三閱月，為林安宅所攻而去。嘗一帥越，閒居十六年而終。

案：《宋史》适本傳載：「升尚書戶部郎中，總領淮東軍馬錢糧。……遷
司農少卿。隆興二年二月，召貳太常兼權直學士院。……乾道元年五月，
遷翰林學士，仍兼中書舍人。……六月，除端明殿學士，簽書樞密院
事。……八月，拜參知政事。……十二月，拜尚書右僕射、同中書門下
平章事兼樞密使。未幾，春霖，适引咎乞退，林安宅抗疏論适，既而臺
臣復合奏。三月，除觀文殿學士、提舉江州太平興國宮。尋起知紹興府、
浙東安撫使。再奉祠。淳熙十一年薨，年六十八，謚文惠。适以文學聞
望，遭時遇主，自兩制一月入政府，又四閱月居相位，又三月罷政，然
無大建明以究其學。家居十有六年，兄弟鼎立，子孫森然，以著述吟詠
自樂，近世備福鮮有及之。」可參證。「入右府」者，指簽書樞密院事。

小隱集七十卷

《小隱集》七十卷，樞密文安公洪遵景嚴撰。

廣校案：《宋史》卷二百八、〈志〉第一百六十一、〈藝文〉七、〈別集類〉
著錄：「洪遵《小隱集》七十卷。」遵字景嚴。孝宗時拜同知樞密院事，
卒謚文安。《宋史》卷三百七十三、〈列傳〉第一百三十二附〈洪皓〉。

其進用最先于兄弟，而得年不永，薨於淳熙元年。

案：據《宋史》，适，遵於紹興十二年同中博學宏詞科，适除敕令所刪定
官。遵中魁選，賜進士出身，擢秘書省正字。中興以來，詞科中選即入
館自遵始。邁，紹興十五年始中第，授兩浙轉運司幹辦公事，入為敕令
所刪定官。遵薨於淳熙元年（1174）十一月，年五十有五，僅得中壽。

野處類藁一卷

《野處類藁》一卷，_{館臣案：《文獻通考》作二卷。} _{廣棪案：元抄本、盧校本亦作二卷。}翰林學士文敏公洪邁景盧撰。

> 廣棪案：《宋史》卷二百八、〈志〉第一百六十一、〈藝文〉七、〈別集類〉
> 著錄：「洪邁《野處猥藁》一百四卷，又《瓊野錄》三卷。」《類藁》、《猥
> 藁》，應非同爲一書。邁字景盧，皓之季子，乾道十三年九月拜翰林學士，
> 卒諡文敏。《宋史》卷三百七十三、〈列傳〉第一百三十二附〈洪皓〉。

其全集未見。

> 案：據《宋志》，《野處猥藁》凡一百四卷，直齋所藏僅《野處類藁》一
> 卷，故云未見其全集也。

誠齋集一百三十三卷

《誠齋集》一百三十三卷，寶謨閣學士文節公廬陵楊萬里廷秀撰。

> 廣棪案：《宋史》卷二百八、〈志〉第一百六十一、〈藝文〉七、〈別集類〉
> 著錄：「楊萬里《江湖集》十四卷，又《荊溪集》十卷、《西歸集》八卷、
> 《南海集》八卷、《朝天集》十一卷、《江西道院集》三卷、《朝天續集》
> 八卷、《江東集》十卷、《退休集》十四卷。」合共八十六卷，遠未及《解
> 題》著錄之卷數。考繆荃孫《藝風堂藏書續記》卷六、〈詩文〉第八上
> 著錄：「《誠齋集》一百三十三卷，_{影宋鈔本，}宋楊萬里撰。首有劉煒叔〈序〉，
> 卷末有嘉定元年春三月男長孺編次，端平元年夏五月門人羅端良校正。
> 每半葉十行，行十九字。一至七爲《江湖集》，八至十二爲《荊谿集》，
> 十三至十四爲《西歸集》，十五至十八爲《南海集》，十九至二十四爲《朝
> 天集》，廿五、廿六爲《江西道院集》，二十七至三十爲《朝天續集》，
> 三十一至三十五爲《江東集》，三十六至四十二爲《退休集》，詩總四十
> 二卷。四十三、四十四爲〈賦〉，四十五爲〈辭操〉，四十六、四十七爲
> 〈表〉，四十八爲〈箋〉，四十九至六十一爲〈啓〉，六十二爲〈疏〉，六
> 十三至六十八爲〈書〉，六十九、七十爲〈奏對〉、〈劄子〉，七十一至七
> 十六爲〈記〉，七十七至八十三爲〈序〉，八十四至八十六爲〈心學論〉，
> 〈六經論〉、〈聖德論〉。八十七至八十九爲〈千慮策〉，九十爲〈程試論〉，
> 九十一至九十四爲〈庸言〉，九十五爲〈解〉，九十六爲〈雜著〉，_{冊文、}

牒議、策問。九十七爲〈雜著〉詞、疏、箴、銘、贊、樂府。九十八至一百爲〈題跋〉，一百一爲〈祭文〉，一百二、一百三爲〈文〉，一百四至一百十一爲〈尺牘〉，一百十二爲〈東宮勸讀錄〉，一百十三爲〈淳熙薦士錄〉，一百十四爲〈詩話〉，一百十五至一百十七爲〈傳〉，一百十八、一百十九爲〈行狀〉，一百二十、一百二十一爲〈碑〉，一百二十二至一百三十二爲〈墓表〉、〈志銘〉，一百三十三〈附錄〉，歷官告、詞諡告終焉。」是此《集》宋鈔本一百三十三卷猶存也。萬里字廷秀，吉州吉水人。開禧二年升寶謨閣學士，卒諡文節。光宗時嘗爲書「誠齋」二字，學者稱誠齋先生。《宋史》卷四百三十三、〈列傳〉第一百九十二、〈儒林〉三有傳。

當淳熙末爲大蓬，論思陵配饗不合，去。

案：《宋史》萬里本傳載：「（淳熙十四年）遷祕書少監。會高宗崩，孝宗欲行三年喪，創議事堂，命皇太子參決庶務。萬里上疏力諫，且上太子書，言：『天無二日，民無二王。一履危機，悔之何及？與其悔之而無及，孰若辭之而不居。願殿下三辭五辭，而必不居也。』太子悚然。高宗未葬，翰林學士洪邁不俟集議，配饗獨以呂頤浩等姓名上。萬里上疏詆之，力言張浚當預，且謂邁無異指鹿爲馬。孝宗覽疏不悅，曰：『萬里以朕爲何如主！』由是以直祕閣出知筠州。光宗即位，召爲祕書監。」可參證。惟大蓬乃秘書監官名，孝宗時，萬里僅爲秘書少監。

及韓侂冑用事，召之，卒不至。自次對遷至學士，聞開禧出師，不食而死。

案：《宋史》萬里本傳載：「萬里爲人剛而褊。孝宗始愛其才，以問周必大，必大無善語，由此不見用。韓侂冑用事，欲網羅四方知名士相羽翼，嘗築南園，屬萬里爲之〈記〉，許以掖垣。萬里曰：『官可棄，〈記〉事不可作也。』侂冑恚，改命他人。臥家十五年，皆其柄國之日也。侂冑專僭日益甚，萬里憂憤，怏怏成疾。家人知其憂國也，凡邸吏之報時政者皆不以告。忽族子自外至，遽言侂冑用兵事。萬里慟哭失聲，亟呼紙書曰：『韓侂冑姦臣，專權無上，動兵殘民，謀危社稷。吾頭顱如許，報國無路，惟有孤憤！』又書十四言別妻子，筆落而逝。」可參證。

自作〈江湖集序〉曰：「予少作有詩千餘篇，至紹興壬午皆焚之。」大概江西體也。今所存曰《江湖集》者，蓋學后山及半山及唐人者。_{館臣}案：「自作〈江湖集序〉」以下一段原本脫去，今據《文獻通考》增入。　廣校案：元抄本、盧校本同。

案：楊振麟〈誠齋集跋〉云：「〈詩集自序〉云：『少作千餘篇悉焚之，今所存者自紹興壬午始。其後或官於外，或仕於朝，或退處於家，隨所履之地而取以名集，就所咏之題而詳以紀年。』公詩可作年譜觀也。公之著作，本乎道德，發爲文章，同時如朱晦菴、張南軒、周平園諸公，莫不推服。其文集散逸者姑闕之，校對未詳者姑置之，惟《詩集》全刊無遺。」萬里〈荊溪集自序〉云：「予之詩始學江西諸君子，既又學后山五字律，既又學半山老人七字絕句，晚乃學絕句於唐人，學之愈力，作之愈寡，嘗與林謙之屢歎之。謙之云：『擇之之精，得之之艱，又欲作之之不寡乎？』之官荊溪，嘗以告曰：『作詩忽若有寤。』於是辭謝唐人及王、陳江西諸君子，皆不敢學，而後欣如也。」可參證。後山，陳師道；半山，王安石也。

程文簡集二十卷

《程文簡集》二十卷，吏部尚書新安程大昌泰之撰。

廣校案：《宋史》卷二百八、〈志〉第一百六十一、〈藝文〉七、〈別集類〉著錄：「《程大昌文集》二十卷。」與此同。大昌字泰之，徽州休寧人。孝宗時累遷權吏部尚書。《宋史》卷四百三十三、〈列傳〉第一百九十二、〈儒林〉三有傳。新安即徽州休寧。

每卷分上下，其實四十卷也。博學，長於攷究，著述甚多，皆傳于世。

案：《宋史》大昌本傳載：「大昌篤學，於古今事靡不考究。有《禹貢論》、《易原》、《雍錄》、《易老通言》、《考古編》、《演繁露》、《北邊備對》，行於世。」可參證。

樵隱集十五卷

《樵隱集》十五卷，信安毛玒平仲撰。禮部尚書友之子。負才傲世，仕止州倅。

廣枝案：《宋史》卷二百八、〈志〉第一百六十一、〈藝文〉七、〈別集類〉
著錄：「毛幵《樵隱集》十五卷。」與此同。幵，《宋史》無傳。《宋詩紀事》
卷四十九「毛幵」條載：「幵字平仲，三衢人。友之子。仕止宛陵、東陽二
州倅。有《樵隱集》。」信安即三衢。幵父友，《宋史翼》卷二十、〈列傳〉
第二十、〈循吏〉三有傳，載：「毛友字達可，西安人。少游太學，與郡人
馮熙載、盧襄，號三俊。擢進士第。崇寧間守鎮江，方臘已殘睦，歙，監
司猶不以實聞。友奏言之，朱勔怒其張皇。友遂監觀，其〈謝表〉曰：『兩
郡生靈已罹非命，一道使者猶謂無他。』陳瓘聞之，以書譽於親舊曰：『蔽
遮江淮，阻遏賊勢，斯人有助也。』《宏治衢州府志》。」惟未記友除禮部尚
書。

與尤遂初厚善，臨終以書別之，囑以志墓。延之既為〈銘〉，又序其《集》。

案：尤遂初即尤袤，字延之，常州無錫人。嘗取孫綽〈遂初賦〉以自號，
光宗書扁賜之。《宋史》卷三百八十九、〈列傳〉第一百四十八有傳。袤
有《梁谿集》五十卷，已久佚。《四庫全書》本《梁谿遺稿》僅一卷，無
〈毛幵墓誌〉及〈樵隱集序〉。

梁谿集五十卷

《梁谿集》五十卷，禮部尚書錫山尤袤延之撰。

廣枝案：袤字延之，常州無錫人。《宋史》卷三百八十九、〈列傳〉第一
百四十八有傳，未載其除禮部尚書。〈傳〉載：「袤有《遂初小藁》六十
卷、《內外制》三十卷。」與此非同一書。《四庫全書總目》卷一百五十
九、〈集部〉十二、〈別集類〉十二著錄：「《梁谿遺藁》一卷，兩淮馬裕家
藏本。宋尤袤撰。袤有《遂初堂書目》，已著錄。《宋史》袤本傳載所著《遂
初小藁》六十卷、《內外制》三十卷。陳振孫《書錄解題》載《梁谿集》
五十卷。今竝久佚。國朝康熙中，翰林院侍講長洲尤侗，自以為袤之後
人，因裒輯遺詩，編為此本。蓋百分僅存其一矣。厲鶚作《宋詩紀事》，
即據此本為主，而別摭《三朝北盟會編》所載〈淮民謠〉一首、《茅山志》
所載〈庚子歲除前一日遊茅山〉一首、《荊溪外紀》所載〈游張公洞〉一
首、《揚州府志》所載〈重登斗野亭〉一首、《郁氏書畫題跋記》所載〈題

米元暉瀟湘圖〉二首、《後村詩話》所載逸句四聯。而『去年江南荒』兩聯，即〈淮民謠〉中之語，前後複出，良由瑣碎捃拾，故失於檢校，知其散亡已甚，不可復收拾也。方回嘗作〈袤詩跋〉，稱『中興以來，言詩必曰尤、楊、范、陸。誠齋時出奇峭。放翁善爲悲壯。公與石湖，冠冕佩玉，端莊婉雅。』則袤在當時，本與楊萬里、陸游、范成大竝駕齊驅。今三家之《集》皆有完本，而袤《集》獨湮沒不存。蓋文章傳不傳，亦有幸不幸焉。然即今所存諸詩觀之，殘章斷簡，尚足與三家抗行。以少見珍，彌增寶惜，又烏可以殘膡棄歟？」可參考。袤〈傳〉又載：「嘉定五年，諡文簡。子棐、檠。孫焴，禮部尚書。」疑除禮部尚書者乃尤焴，《解題》誤記。

家有遂初堂，藏書為近世冠。

案：《解題》卷八、〈譜牒類〉著錄：「《遂初堂書目》一卷，錫山尤氏尙書袤延之，淳熙名臣，藏書至多，法書尤富。嘗燼於火，今其存亡幾矣。」可參證。

鄭景望集三十卷

《鄭景望集》三十卷，宗正少卿永嘉鄭伯熊景望撰。

廣棪案：《宋史》卷二百八、〈志〉第一百六十一、〈藝文〉七、〈別集類〉著錄：「《鄭伯熊集》三十卷。」即此書。伯熊字景望，永嘉人。高宗時除宗正少卿。《宋史翼》卷十三、〈列傳〉第十三有傳。

歸愚翁集二十六卷

《歸愚翁集》二十六卷，秀州判官鄭伯英景元撰。

廣棪案：《宋史》卷二百八、〈志〉第一百六十一、〈藝文〉七、〈別集類〉著錄：「《鄭伯英集》二十六卷。」與此同。伯英字景元，除秀州判官。《宋史翼》卷十三、〈列傳〉第十三附〈鄭伯熊〉。載有《歸愚翁集》二十六卷。

近世永嘉學者推二鄭。

案：《宋史翼》伯熊本傳載：「鄭伯熊字景望，永嘉人。與其弟伯英齊名，人稱爲大鄭公、小鄭公。」可參證。

伯熊，紹興乙丑進士，自隆興初為館職、王府、東宮，官至少司成、宗正，鄉用矣，廣棪案：《文獻通考》作「宗正卿，用矣。」每小不合，輒乞去，卒於建寧守。

> 案：《宋史翼》伯熊本傳載：「紹興十五年進士，歷黃巖尉、婺州司戶。隆興初，召試正字，太常博士，出為福建提舉。魏王判宣州，南面坐，受屬吏，進謁幕府，進箚子，亦坐而可否之。及伯熊除王府司馬，遂以箚子開說謙德未光，嫌疑之際，或駭視聽。又判罷吏。羊縮再役，伯熊引吏人年滿歸農，不得再應募條法。不聽，遂自劾去，改江西提刑，奉祠。起知婺州，入為吏部郎官，兼太子侍讀，歷國子司業、宗正少卿。方嚮用矣，每小不合，輒乞去。以直龍圖閣知甯國府，移知建寧卒。後諡文肅。」可參證。

伯英癸未甲科第四人，以親養，三十年不調，竟不出。二人皆豪傑之士也。

> 案：《宋史翼》伯熊本傳載：「弟伯英字景元，資性俊健，果決慷慨，論事憤發。思得其志，必欲盡洗紹聖以來弊政，復還祖宗之舊，非隨時默默為祿仕者也。隆興元年進士第四人，伯熊喜而笑曰：『子一日先我矣。』然伯英性剛，自度不能俯仰于時，甫任秀州判官，遂以親老乞養。奉祠三十年不調，竟不起。當事亦畏其氣岸，幸其自重不出，無能害己為幸，不復徵也。晚而朝議，將以司幹處之。伯英笑曰：『此宂官也，吾方議當省之，而身居之邪？』竟以疾辭。論者以伯熊兄弟，性行雖不同，然並為豪傑之士。」可參證。

晦庵集一百卷、紫陽年譜三卷

《晦庵集》一百卷、《紫陽年譜》三卷，待制侍講文公新安朱熹元晦撰。

> 廣棪案：《宋史》卷二百八、〈志〉第一百六十一、〈藝文〉七、〈別集類〉著錄：「《朱熹前集》四十卷、《後集》九十一卷、《續集》十卷、《別集》二十四卷。」與《解題》著錄者非同一書。熹字元晦，一字仲晦，徽州婺源人。寧宗即位，除煥章閣待制、侍講。諡曰文。《宋史》卷四百二十九、〈列傳〉第一百八十八、〈道學〉三有傳。其〈傳〉謂熹「平生為文凡一百卷」，與《解題》同。

《年譜》，昭武李方子公晦所述，其門人也。

案：吳洪澤編《宋人年譜集目》著錄：「朱熹（1130～1200），《朱文公年譜》一卷，(存)，宋李方子編。《朱子文集大全類編》本附，《紫陽書院志》卷五。按：《直齋書錄解題》載《紫陽年譜》三卷，李方子編，該《譜》在明嘉靖年間已失傳。此《譜》僅一卷，題李方子編，當非原譜。」是現存李方子編《朱文公年譜》一卷本，已非《紫陽年譜》三卷之舊。方子字公晦，昭武人。《宋史》卷四百三十、〈列傳〉第一百八十九、〈道學〉四有傳。

習庵集十二卷

《習庵集》十二卷，戶部侍郎曾逮仲躬撰。文清公幾之子。

廣棪案：《宋史》卷三百八十二、〈列傳〉第一百四十一、〈曾幾〉載：「曾幾字吉甫，其先贛州人，徙河南府。……乾道二年卒，年八十二，諡文清。……二子：逢仕至司農卿，逮亦終敷文閣待制。而逢最以學稱。」《宋元學案》卷二十九、〈震澤學案・震澤門人・附錄〉「侍郎曾習庵先生逮」條載：「曾逮，字仲躬，河南人，文清公幾次子也。累官戶部侍郎。嘗從信伯受業，其記信伯之言曰：『師不專在傳授，友不專在講習。精神氣貌之間，自有相激發處，是為善親師友者。』逮因觀〈鄉黨〉一篇所記動容周旋，然後知群弟子所以事夫子，用是道也。學者稱為習庵先生。有《習庵集》十二卷。」均可參證。

東萊呂太史集十五卷、別集十六卷、外集五卷、附錄三卷

《東萊呂太史集》十五卷、《別集》十六卷、《外集》五卷、《附錄》三卷，著作郎東萊呂祖謙伯恭撰。

廣棪案：《宋史》卷二百八、〈志〉第一百六十一、〈藝文〉七、〈別集類〉著錄：「《呂祖謙集》十五卷，又《別集》十六卷、《外集》五卷、《附錄》三卷。」與此同。祖謙字伯恭，東萊人。孝宗時除著作郎。《宋史》卷四百三十四、〈列傳〉第一百九十三、〈儒林〉四有傳。

其弟祖儉編錄。凡家範、尺牘之類，總之《別集》；廣棪案：《文獻通考》「總」作「編」。策問、宏詞、程文之類，總之《外集》；年譜、遺事則見《附錄》。

案：《宋史》卷四百五十五、〈列傳〉第二百一十四、〈忠義〉十載：「呂祖

儉字子約，祖謙之弟也，受業祖謙如諸生。監明州倉，將上，會祖謙卒。部法半年不上者爲違年，祖儉必欲終朞喪，朝廷從之，詔違年者以一年爲限，自祖儉始。」考《四庫全書總目》卷一百五十九、〈集部〉十二、〈別集類〉十二著錄：「《東萊集》四十卷，兩淮馬裕家藏本。宋呂祖謙撰。祖謙有《古周易》，已著錄。其生平詩文，皆祖謙歿後，其弟祖儉及從子喬年先後刊補遺槀，釐爲《文集》十五卷。又以家範、尺牘之類爲《別集》十六卷。程文之類爲《外集》五卷。年譜、遺事則爲《附錄》三卷。又《附錄拾遺》一卷。即今所傳之本也。」可參證。惟《四庫全書》本多《附錄拾遺》一卷。

太史，曾文清外孫，

案：曾文清即曾幾，字吉甫，其先贛州人，徙河南府。乾道二年卒，年八十二，諡文清。《宋史》卷三百八十二、〈列傳〉第一百四十一有傳。考祖謙父名大器，《宋史》無傳。《宋元學案》卷三十六、〈紫微學案・紫微家學〉「倉部呂先生大器」條載：「呂大器，字治先，弸中子，紫微從子，累官尚書倉部郎，東萊之父也。兄弟四人，曰大倫，字時敘；大猷，字允升；大同，字逢吉。築豹隱堂以講學，汪文定公稱之，嘗謂呂奉議時敘貧甚，閒廢日久，可惜。而尤愛逢吉，謂其所講釋者，莫非前言往行之要，蓋皆有得于家學者也。治先爲曾文清公壻，兼得其傳。兄弟中惟逢吉夭。」是祖謙乃曾幾外孫之證。

隆興癸未鎖廳甲科，宏詞亦入等。仕未達，得末疾，奉祠，年財四十五，卒于淳熙辛丑。

案：《宋史》祖謙本傳載：「呂祖謙字伯恭，尚書左丞好問之孫也。……初，蔭補入官，後舉進士，復中博學宏詞科，調南外宗教。丁內艱，居明招山，四方之士爭趨之。除太學博士，時中都官待次者例補外，添差教授嚴州，尋復召爲博士兼國史院編修官、實錄院檢討官。……召試館職。……越三年，除秘書郎、國史院編修官、實錄院檢討官。……遷著作郎，以末疾請祠歸。……詔除直秘閣。時方重職名，非有功不除，中書舍人陳騤駁之。孝宗批旨云：『館閣之職，文史爲先。祖謙所進，採取精詳，有益治道，故以寵之，可即命祠。』騤不得已草制。尋主管沖祐觀。明年，除著作郎兼國史院編修官。卒，年四十五。諡曰成。」可參證。隆興癸未爲元年（1163），淳熙辛丑爲八年（1181），是祖謙鎖廳甲科時僅十八歲。

平生著述皆略舉端緒，未有成書者，學者惜之。

案：《宋史》祖謙本傳載：「祖謙學以關、洛爲宗，而旁稽載籍，不見涯
涘。心平氣和，不立崖異，一時英偉卓犖之士皆歸心焉。少卞急，一日，
誦孔子言『躬自厚而薄責於人』，忽覺平時忿懥渙然冰釋。朱熹嘗言：『學
如伯恭方是能變化氣質。』其所講畫，將以開物成務，既臥病，而任重
道遠之意不衰。居家之政，皆可爲後世法。修《讀詩記》、《大事記》，皆
未成書。考定《古周易》、《書說》、《閫範》、《官箴》、《辨志錄》、《歐陽
公本末》，皆行于世。」可參證。

大愚叟集十一卷

《大愚叟集》十一卷，太府寺丞呂祖儉子約撰。祖謙弟也。

廣棪案：《宋史》卷二百八、〈志〉第一百六十一、〈藝文〉七、〈別集類〉
著錄：「呂祖儉《大愚集》十一卷。」與此同。祖儉字子約，祖謙弟也。
寧宗即位，除太府丞。《宋史》卷四百五十五、〈列傳〉第二百一十、〈忠
義〉十有傳。

慶元初上封事，論救祭酒李祥，謫高安以沒。寓居大愚寺，故以名《集》。

案：《宋史》祖儉本傳載：「時韓侂胄寖用事，正言李沐論右相趙汝愚罷
之。祖儉奏：『汝愚亦不得無過，然未至如言者所云。』侂胄怒曰：『呂
寺丞乃預我事邪？』會祭酒李祥、博士楊簡皆上書訟汝愚，沐皆劾罷之。
祖儉乃上封事曰：『陛下初政清明，登用患良，然曾未踰時，朱熹老儒也，
有所論列，則亟使之去；彭龜年舊學也，有所論列，亦亟許之去；至於
李祥老成篤實，非有偏比，蓋眾聽所共孚者，今又終於斥逐。臣恐自是
天下有當言之事，必將相視以爲戒，鉗口結舌之風一成而未易反，是豈
國家之利邪？』又曰：『今之能言之士，其所難非在於得罪君父，而在忤
意權勢。古以臣所知者之，難莫難於論災異，然言之而不諱者，以其事
不關於權勢也。若乃御筆之降，廟堂不敢重違，臺諫不敢深論，給、舍
不敢固執，蓋以其事關貴倖，深慮乘間激發而重得罪也。故凡勸導人主、
事從中出者，蓋欲假人主之聲勢，以漸竊威權耳。比者聞之道路，左右
蟄御，於黜陟廢置之際，間得聞者，車馬輻湊，其門如市，恃權怙寵，
搖撼外庭。臣恐事勢浸淫，政歸倖門，不在公室，凡所薦進皆其所私，

凡所傾陷皆其所惡，豈但側目憚畏，莫敢指言，而阿比順從，內外表裏之患，必將形見。臣因李祥獲罪而深及此者，是豈矯激自取罪戾哉？實以士氣頹靡之中，稍忤權臣，則去不旋踵。私憂過計，深慮陛下之勢孤，而相與維持宗社者寖寡也。』疏既上，束檐待罪。有旨：呂祖儉朋比罔上，安置韶州。中書舍人鄧馹繳奏，祖儉罪不至貶。御筆：『祖儉意在無君，罪當誅，竄逐已為寬恩。』會樓鑰進讀呂公著元祐初所上十事，因進曰：『如公著社稷臣，猶將十世宥之，前日太府寺丞呂祖儉以言事得罪者，其孫也。今投之嶺外，萬一即死，聖朝有殺言者之名，臣竊為陛下惜之。』上問：『祖儉所言何事？』然後知前日之行不出上意。侂胄謂人曰：『復有救祖儉者，當處以新州矣。』眾莫敢出口。有謂侂胄曰：『自趙丞相去，天下已切齒，今又投祖儉瘴鄉，不幸或死，則怨益重，曷若少徙內地。』侂胄亦悟。祖儉至廬陵，將趨嶺，得旨改送吉州。遇赦，量移高安。二年卒，詔令歸葬。」可參證。

千巖擇藁七卷、外編三卷、續編四卷

《千巖擇藁》七卷、《外編》三卷、《續編》四卷，知峽州三山蕭德藻東夫撰。嘗宰烏程，後遂家焉。楊誠齋序其《集》曰：「近世詩人若范石湖之清新，尤梁谿之平淡，陸放翁之敷腴，蕭千巖之工緻，皆余所畏也。」

廣棪案：《宋史》卷二百八、〈志〉第一百六十一、〈藝文〉七、〈別集類〉著錄：「蕭德藻《千巖擇藁》七卷，又《外編》三卷。」而闕《續編》四卷。《宋史翼》卷二十八、〈列傳〉第二十八、〈文苑〉三載：「蕭德藻字東夫，福建閩清人。紹興二十一年進士，初調湖州烏程令，遂家焉。歷知峽州，終福建安撫司參議。德藻長於詩，造語苦硬頓挫，而極其工。與范成大、尤袤、陸游齊名，官湖湘時，楊萬里一見獎異。嘗曰：『近世詩人，若范石湖之清新，尤梁谿之平淡，陸放翁之敷腴，蕭千巖之工緻，皆余所畏也。』德藻所居屏山，千巖競秀，故自號千巖老人云。著有《千巖擇稿》。《書錄解題》，參楊萬里《薦士錄·千巖擇稿序》。」可參證。

濟溪老人遺藁一卷

《濟溪老人遺藁》一卷，通判明州濟源李迎彥將撰。

廣棪案：《宋志》未著錄此書，李迎，《宋史》無傳。《宋元學案》卷三十
二、〈周許諸儒學案‧浮沚門人〉「通守李濟溪先生迎」條載：「李迎，字
彥將，濟源人也。累官安撫司機宜文字、通判明州。晚寓苕上。嘗自贊
曰：『三仕三已，應緣而進。一丘一壑，倦遊而歸。』其高致如此。先生
爲永嘉周浮沚先生壻，因得聞伊洛之說。其居苕上，□□招提中，日手
鈔聖賢治心養性之學。有《濟溪老人遺稿》一卷，周益公序之，又表其
墓。補。」可參證。

永嘉周浮沚先生之壻，與先大父爲襟袂。

案：周必大《平園續稿》卷三十五、〈朝奉大夫迎墓表〉載：「父弼儒，
右中奉大夫，直秘閣致仕，贈少師。……妻令人周氏，永嘉名士周行己
恭叔之女。恭叔官京師，與秘閣善。君未弱冠，風度凝遠，能文辭，善
談論，故以女歸之。」行己即浮沚。《解題》卷十七、〈別集類〉中著錄：
「《浮沚先生集》十六卷、《後集》三卷，秘書省正字永嘉周行己恭叔撰。
十七入太學，有盛名，師事程伊川。元祐六年進士，爲博士太學，以親
老歸，教授其鄉，再入爲館職，復出作縣。永嘉學問所從出也，鄉人至
今稱周博士。〈集序〉，林越撰，言爲秘書郎，則不然。先祖妣，先生之
第三女，先君子其自出也，故知其本末。所居謝池坊，有浮沚書院。」
是直齋之祖所娶者爲行己第三女，故與迎爲襟袂也。

《集》中有送先君子赴戊子秋試詩，首句「籍甚人言《易》已東」，蓋
先君治《易》故也。

案：《宋詩紀事》卷六十「李迎」條載：「迎字彥將，濟源人，通判明州。
有《濟溪老人遺藁》。句：籍甚人言《易》已東。」迎《集》已佚，僅存
佚句。直齋父生平無可考。

〈集序〉周益公作。

案：此〈集序〉未見載《四庫全書》本《文忠集》卷五十二、〈序〉一、
卷五十三、〈序〉、卷五十四、〈序〉三、卷五十五〈序〉四，殆散逸矣。

訢庵集四十卷

《訢庵集》四十卷，館臣案：《文獻通考》「訢庵」作「沂庵」。　廣棪案：元抄本、盧校本亦作「沂庵」，疑《解題》誤。新津任淵子淵撰。紹興乙丑類試第一人，仕至潼川憲。嘗註山谷、后山詩，行於世。新津有天社山，故稱天社任淵。

> 廣棪案：此《集》，《宋志》未著錄，任淵，《宋史》無傳。傅增湘《宋蜀
> 文輯存作者考》載：「任淵字子淵，新津人。紹興十五年四川類試第一。
> 仕至潼川提刑。著有《注山谷後山詩》及《沂庵集》四十卷。」可參證。
> 考《宋史藝文志補·集部·別集類》著錄：「任淵《黃太史精華錄》八卷、
> 《內集注》二十卷。字子淵，新津人。」而未著錄有注後山詩。《解題》卷
> 二十、〈詩集類〉下著錄：「《注黃山谷詩》二十卷、《注后山詩》六卷，
> 新津任淵子淵注。鄱陽許尹爲〈序〉。大抵不獨注事，而兼注意，用功爲
> 深。二《集》皆取前集。陳詩以魏衍〈集記〉冠焉。」是《宋史藝文志
> 補》有所闕略也。

方舟集五十卷、後集二十卷

《方舟集》五十卷、《後集》二十卷，資陽李石知幾撰。石有盛名於蜀。少嘗客蘇符尚書家。紹興末爲學官，乾道中爲郎，歷夔節，皆以論罷。趙丞相雄，其鄉人也，素不善石，石以是晚益困，其〈自敍〉云「宋魋、魯倉今猶古」也。

> 廣棪案：《宋志》未著錄此書。李石，《宋史》亦無傳。《宋史翼》卷二
> 十八、〈列傳〉第二十八、〈文苑〉三載：「李石字知幾，資州人。進士
> 高第，蜀人稱爲方舟先生。紹興末，以趙逵薦，任太學博士。太學生芝
> 草，學官方賀。石獨以爲兵兆，坐斥爲成都學官，就學者如雲，閩越之
> 士萬里而來，刻石題諸生名幾及千人，蜀學之盛，古今鮮儷。累官知黎
> 州。乾道中，召爲都官，爲言者論罷。趙雄，其鄉人也，驟貴，石以晚
> 輩視之，不與通書。久之，起守眉州，除成都路轉運判官，十日而罷。
> 趙雄秉政，石遂不復出。及王淮爲相，與石有學官之舊，自書近詩數十
> 以寄，筆勢傾欹，殆不可辨。淮憐之，方議除官，而石卒。石好學，能
> 屬文，少從蘇符游，其淵源出於蘇氏。詩文皆以閎肆跌宕見長，著有《方

舟集》五十卷,《後集》十卷,今存十二卷。《朝野雜記》,參鄧椿《畫繼》、《資州志》。」可參證。此《集・自敘》不見《四庫全書》本《方舟集》。

歸愚集二十卷

《歸愚集》二十卷,吏部侍郎葛立方常之撰。勝仲之子,丞相邲之父也。

廣棪案:《宋史》卷二百八、〈志〉第一百六十一、〈藝文〉七、〈別集類〉著錄:「葛立方《歸愚集》二十卷。」與此同。今僅宋本九卷。清光緒間盛宣懷參考《播芳大全》、《臨安志》、《韻語陽秋》,為《補遺》一卷,凡十卷。盛宣懷有〈跋〉云:「右《歸愚集》十卷,宋葛立方撰。立方字常之,江陰人。紹興八年進士,官至尚書左司郎中。《宋史》於〈葛宮傳〉附見名字,事蹟不詳。常之世席華臙,置身館閣,文筆爾雅,為世所推。初以忤秦檜,得罪後又為言者所劾,遂不復出。志趣亦頗高,《江陰志》稱其著《歸愚集》二十卷、《韻語陽秋》二十卷、《外判》五卷、《西疇筆畊》五十卷、《方輿別志》二十卷。今惟《歸愚集》、《韻語陽秋》二書尚存。然《歸愚集》本二十卷,今所存十卷,據宋本止存九卷,弟四卷、弟五卷、弟六卷、弟七卷均律詩,弟九卷賦、騷、銘文,弟十卷、弟十一卷均外制,弟十三卷表、啟。後人另以詞一卷屬入,作為十卷。《四庫簡明目錄》有此書,而《總目》則無之,當時不收,恐是館臣誤遺,未必以殘缺見棄。觀《馮太師集》三十卷,止臟前十二卷,而亦收入,可以執此例彼。傳鈔改為自一至十,若為完善而不知其編次不合,門類亦不全,不能掩也。茲據翰林院底本,及勞季言影宋本校定上板,又輯《播芳大全》、《臨安志》、《韻語陽秋》為《補遺》一卷附益之。光緒丙申五月,武進盛宣懷跋。」《宋史》卷三百三十三、〈列傳〉第九十二、〈葛宮〉載:「葛宮字公雅,江陰人。……子勝仲,孫立方,皆以學業至侍郎,世為儒家。」同書卷四百四十五、〈列傳〉第二百四、〈文苑〉七載:「葛勝仲字魯卿,丹陽人。……子立方,官至侍從。孫邲,為右相。」案:侍從乃侍郎之誤,右相乃左相之誤。考同書卷三百八十五、〈列傳〉第一百四十四、〈葛邲〉載:「葛邲字楚輔,其先居丹陽,後徙吳興。世以儒學名家,高祖密至邲,五世登科第,大父勝仲至邲,三世掌詞命。……紹熙四年,拜左丞相。」是立方曾祖密,祖宮,父勝仲,子邲也。周麟之

《海陵集》卷十六、〈外制〉有〈葛立方除吏部侍郎〉，曰：「天官之有大小宰，首冠六卿。吏部之有文武銓，同分兩選。思得清通之彥，助予綜覈之公。具官某，學世其家，器優於用，早儲喬松之令望，嘗歷握蘭之顯曹。昨去周行，久紆雋望。迨闢至公之路，盡收遺野之賢。召以名郎，登于宰士。糾違省闥，實多詳整之稱；結好鄰邦，不負光華之遣。肆圖嘉績，亟貢從班。爾能使法行而無阻格之私，吏畏而絕姦欺之弊，斯乃稱職，往其懋功。可。」是立方曾除吏部侍郎之證。

以郎官攝西掖，忤秦相得罪。更化召用，言者又以為附會沈該，罷去，遂不復起。

案：《宋詩紀事》卷四十五「葛立方」條載：「立方字常之，丹陽人，徙吳興。勝仲之子。紹興八年進士，隆興間官至吏部侍郎。有《西疇筆耕》、《韻語陽秋》、《歸愚集》。」繆荃孫〈葛立方傳〉載：「葛立方字常之，江陰人。《中興館閣錄》八。勝仲子。《書錄解題》。紹興八年，《吳興志》。黃公度榜同進士出身，治書。紹興十七年六月，除正字。《館閣錄》八。　《館閣錄》五：『紹興十八年六月〈賢妃潘氏輀祭文〉正字葛立方撰。十一月一日臣僚言：欲乞遇上辛日祀感生帝，并依本朝舊制，大祀樂章報祕書省修撰，有旨從之。〈降神大安之樂四曲〉，正字葛立方撰。十九年六月，除校書郎。《館閣錄》八。　《館閣錄》五：紹興十九年十一月一日，〈恭和御製郊祀喜晴詩〉，校書郎葛立方一首；〈恭進郊祀大禮慶成詩〉，校書郎葛立方一首。〈□蜡祭百神東蜡大明正位帝神農氏配后稷氏配歲星以下從祀諸神祝辭〉，校書郎葛立方撰。二十一年六月，為考功員外郎。《館閣錄》八。以吏部侍郎攝西掖，忤秦相得罪，更化加用。《書錄解題》。按立方以紹興二十一年六月為考功員外郎。秦檜以二十五年七月薨。二十六年閏十月，以尚左司郎中充賀大金生辰使，其得罪秦相及召用，當在此數年間。二十六年閏十月，為尚書左司郎中，充賀大金生辰使。《繫年要錄》一百七十五。言者又以為附會沈該，罷去，遂不復起。《書錄解題》。歸休於吳興，汎金溪上。〈韻語陽秋自序〉。暇日率同志挐小舟，載魚鱉蝦蟹，命比邱誦法作梵唄，捨之溪中。立方博極羣書，以文章名一世。暇日嘗著《韻語陽秋》。沈恂〈韻語陽秋序〉。二十卷。《四庫提要》。《歸愚集》二十卷，《外判》五卷、《西疇策耕》五十卷、《方輿別志》二十卷、《江陰志》。子邲、邲。《宋史·邲傳》。」可參考。

綺川集十五卷

《綺川集》十五卷，太常寺主簿歸安倪俦文舉撰。紹興八年進士。

> 廣梭案：《宋史》卷二百八、〈志〉第一百六十一、〈藝文〉七、〈別集類〉著錄：「倪文舉《綺川集》十五卷。」與此同。倪俦，《宋史》無傳。洪适《盤洲文集》卷二十三、〈外制〉五有〈倪俦太常寺主簿制〉曰：「簿令雖卑，奉常蓋禮樂所自出。有列其間，則與聞稽古制作之事，它寺不可同年而語也。爾強學好修，久率多士，俾造稷嗣，益觀所長。」是俦嘗除太常寺主簿。《宋元學案》卷四十、〈橫浦學案‧橫浦門人〉「常簿倪綺川先生俦」條載：「倪俦，字文舉，雲濠案：稱一作俦。歸安人。受業橫浦先生之門，而與芮祭酒友善。祭酒嘗曰：『文舉，吾藥石友也。』補。梓材謹案：先生紹興八年進士，官太常寺主簿。著有《綺川集》十五卷。」可參證。橫浦，張九成也。

齊齋之父。

> 案：齊齋，倪思號。思字正甫，湖州歸安人。《宋史》卷三百九十八、〈列傳〉第一百五十七有傳。

象山集二十八卷、外集四卷

《象山集》二十八卷、《外集》四卷，知荊門軍金谿陸九淵子靜撰。

> 廣梭案：《宋史》卷二百八、〈志〉第一百六十一、〈藝文〉七、〈別集類〉著錄：「陸九淵《象山集》二十八卷，又《外集》四卷。」與此同。九淵字子靜，金谿人。光宗即位，差知荊門軍。《宋史》卷四百三十四、〈列傳〉第一百九十三、〈儒林〉四有傳。

與其兄九齡子壽，乾淳間名士也。

> 案：《宋史》卷四百三十四、〈列傳〉第一百九十三、〈儒林〉四、〈陸九齡〉載：「陸九齡字子壽。…與弟九淵相為師友，和而不同，學者號『二陸』。」考袁燮、傅子雲《象山先生年譜》曰：「先生與復齋齊名，廣梭案：九齡號復齋。稱為江西二陸，以比河南二程。」均足參證。

象山在貴溪，結茅其上，與士友講學，山形如象，故名。

> 案：楊簡〈象山集序〉曰：「有宋撫州金谿陸先生，字子靜，嘗居貴溪之

象山，四方學者畢至，尊稱之曰象山先生。」《象山先生年譜》曰：「應
天山實龍虎山之本，岡高五里，其形如象，遂名之曰象山。先生既居精
舍，又得勝處爲方丈，及部勒群山閣，又作圓菴。學徒各來結廬，相與
講習，於是稱先生爲象山先生。」可資參證。

施正憲集六十七卷、外集二卷

《施正憲集》六十七卷、《外集》二卷，館臣案：《外集》，《文獻通考》作三
卷。　廣棪案：元抄本、盧校本亦作《外集》三卷。**知樞密院廣信施師點聖與撰。**
　　廣棪案：《宋史》卷二百八、〈志〉第一百六十一、〈藝文〉七、〈別集類〉
　　著錄：「《施正憲遺藁》二卷。」疑《遺藁》二卷即《外集》二卷，《宋志》
　　著錄闕《集》六十七卷。師點字聖與，上饒人。孝宗乾道十四年知樞密
　　院事，《宋史》卷三百八十五、〈列傳〉第一百四十四有傳。其〈傳〉載：
　　「有《奏議》七卷、《制藁》八卷、《東宮講議》五卷、《易說》四卷、《史
　　識》五卷、《文集》八卷。」凡三十七卷。與《解題》著錄卷數不同，或
　　《解題》之「六十七」乃「三十七」之訛也。

其在政府六年，上眷未衰，慨然勇退引去不可回。識者壯其決。
　　案：《宋元學案補遺》卷六十九、〈滄洲諸儒學案補遺〉上、〈南塘師承〉
　　「附錄」載：「陳直齋《書錄解題》曰：『聖與在政府六年，上眷未衰，
　　慨然勇退。有識者壯其決。趙南塘汝談，其壻也。』」即據《解題》。《宋
　　史》師點本傳亦載：「紹熙二年，除知隆興府、江西安撫使。師點嘗謂諸
　　子曰：『吾平生仕宦，皆任其升沉，初未嘗容心其間，不枉道附麗，獨人
　　主知之，遂至顯用。夫人窮達有命，不在巧圖，惟忠孝乃吾事也。』」然
　　未載及師點「慨然勇退」事。

趙南塘汝談，其壻也，為序其《集》而傳之。
　　案：《宋史》卷四百一十三、〈列傳〉第一百七十二、〈趙汝談〉載：「趙
　　汝談字履常，生而穎悟，年十五，以大父恩補將仕郎。登淳熙十一年進
　　士第。丞相周必大得其文異之，語參知政事施師點曰：『是子他日有大名
　　于世。』」未載汝談爲師點壻。

適齋類稿八卷

《適齋類稿》八卷，奉新袁去華定卿撰。館臣案：《文獻通考》作「宣卿」。廣棪案：元抄本、盧校本亦作「宣卿」。**紹興乙丑進士，改官知石首縣而卒。善為歌詞，嘗賦〈長沙定王臺〉，見稱於張安國，為書之。**

廣棪案：《宋志》未著錄此書。去華，《宋史》無傳。《全宋詞》「袁去華」條載：「去華字宣卿，奉新人。紹興十五年（1145）進士。善化知縣，又知石首縣。有《袁宣卿詞》一卷。」紹興乙丑，即十五年。《全宋詞》載去華〈水調歌頭・定王臺〉曰：「雄跨洞庭野，楚望古湘州。何王臺殿，危基百尺自西劉。尙想霓旌千騎，依約入雲歌吹，屈指幾經秋。歎息繁華地，興廢兩悠悠。　　登臨處，喬木老，大江流。書生報國無地，空白九分頭。一夜寒生關塞，萬里雲埋陵闕，耿耿恨難休。徙倚霜風裏，落日伴人愁。」張安國，《宋史》無傳。胡宿《文恭集》卷十四、〈外制〉有〈朱逵楊若沖並可大理寺丞張安國可衛尉寺丞制〉載：「敕某等：夫薦任之開，所以拔能吏；攷法之舉，所以勸庶工。以爾等或治曲臺之經，或藉舊門之蔭，預籌幕府，獲佩縣章。亦參法律之曹，竝宣郡邑之力，交章以薦，終課而還，質諸有司，應乃褒典。用爲刑讞之屬，寵以宿衛之丞。胥日異恩，彌飭廉矩。」是安國嘗除衛尉寺丞。

梅溪集三十二卷、續集五卷

《梅溪集》三十二卷、《續集》五卷，館臣案：「《梅溪集》」下原本無卷數，今據《文獻通考》補正。**詹事樂清王十朋龜齡撰。**

廣棪案：《宋史》卷二百八、〈志〉第一百六十一、〈藝文〉七、〈別集類〉著錄：「王十朋《南游集》二卷，又《後集》一卷。」《四庫全書總目》卷一百五十九、〈集部〉十二、〈別集類〉十二著錄：「《梅溪集》五十四卷，兵部侍郎紀昀家藏本。宋王十朋撰。」所著錄者均與《解題》不同。《四庫全書總目》曰：「是《集》爲正統五年溫州教授何瀠所校，知府劉謙刻之，黃淮爲〈序〉。凡《奏議》五卷，而冠以〈廷試策〉。《前集》二十卷，《後集》二十九卷，而附以汪應辰所作〈墓誌〉。後有紹熙壬子其子宣教郎聞禮〈跋〉，稱《文集》合前後竝《奏議》五十四卷。與此本合。而《文獻通考》作《梅溪集》三十二卷、《續集》五卷，并劉珙之

〈序〉。今無此〈序〉，卷數更多寡不符。應辰〈墓誌〉則稱《梅溪前後集》五十卷。與此本亦不相應。疑珙所序者初稿，應辰所誌者晚年續增之稿，而此本則十朋沒後其子聞詩、聞禮所編次之定稿也。觀應辰稱《尚書》、《春秋》、《論語》、《孟子講義》皆未成書，而此本《後集》第二十七卷中載《春秋》、《論語講義》數條，則爲蒐輯續入明矣。」可參考。十朋字龜齡，溫州樂清人，孝宗時除太子詹事。《宋史》卷三百八十七、〈列傳〉第一百四十八有傳。

丁丑大魁

案：《宋史》十朋本傳載：「秦檜死，上親政，策士，諭考官曰：『對策中有陳朝政切直者，並置上列。』十朋以『攬權』爲對，大略曰：『攬權者，非欲衡石程書如秦皇，傳餐聽政如隋文，彊明自任、不任宰相如唐德宗，精於吏事、以察爲明如唐宣宗，蓋欲陛下懲既往而戒未然，威福一出於上而已。嘗有鋪翠之禁，而以翠羽爲首飾者自若，是豈法令不可禁乎？抑宮中服澣濯之化，衣不曳地之風未形於外乎？法之至公者莫如選士，名器之至重者莫如科第。往歲權臣子孫、門客類竊巍科，有司以國家名器爲媚權臣之具，而欲得人可乎？願陛下正身以爲本，任賢以爲助，博采兼聽以收其效。』幾萬餘言。上嘉其經學淹通，議論醇正，遂擢爲第一。學者爭傳誦其策，以擬古晁、董。」可參證。丁丑，紹興二十七年（1157）。

立朝剛正。

案：十朋立朝剛正，《宋史》卷三百八十七、〈列傳〉第一百四十六、〈史臣論〉曰：「十朋、吳芾、良翰、莘老相繼在臺府，歷詆姦倖，直言無隱，皆事上忠而自信篤，足以當大任者，惜不盡其用焉。」可見其剛正之一斑。

劉珙作〈序〉。館臣案：末句原本脫去，今據《文獻通考》增入。 廣棪案：元抄本、盧校本「劉珙作〈序〉」作「《正集》未有」。盧校注：館校云「《梅溪集》下原本無卷數」，與此「《正集》」未有」正合。《通考》見其《正集》，故具著其卷數，又改此句云「劉珙作〈序〉」。

案：珙字共父，《宋史》卷三百八十六、〈列傳〉第一百四十五有傳。其所撰〈序〉，《文獻通考》卷二百四十、〈經籍考〉六十七、〈集別集〉載之，

曰：「公始以諸生對策廷中，一日數萬言，被遇太上皇帝，親擢冠多士。取其言行之及佐諸侯，入冊府事今上，於初潛又皆以忠言直節有所裨補，上亦雅敬信之。登極之初，即召以爲侍御史，納用其說。公知上意以必復土疆、必雪讎恥爲己任，其所言者，莫非修德、行政、任賢、討軍之實，而於分別邪正之際，尤致意焉。平居無所嗜好，顧喜爲詩，渾厚質直，懇惻條暢，如其爲人。不爲浮靡之文，論事取極己意，然其規模宏闊，骨骼開張，出入變化，俊偉神速，世之盡力於文字者，往往反不能及。其他片言半簡，雖或出於脫口肆筆之餘，亦無不以仁義忠孝爲歸，而皆出於肺腑之誠。然非有所勉強慕傚而爲之也。蓋其所稟於天者，純乎陽德剛氣，是以其心光明正大，舒暢洞達，無所隱蔽，而見於事業文章，一皆如此。海內有志之士，聞其名，誦其言，觀其行，而得其心，無不斂衽心服。至於小人，雖以一時趨向之殊，或敢巧爲謗訕，然其極口，不過以爲迂闊近名，不切時務，至其大節之偉然者，則不能有以毫髮點污也。」可參考。《四庫全書總目》謂「今無此〈序〉」，蓋未細檢《文獻通考》耳！

酒隱集三卷

《酒隱集》三卷，宣州司理趙肯去病撰。其父鼎臣承之，號竹隱畸士者也。

> 廣棪案：《宋史》卷二百八、〈志〉第一百六十一、〈藝文〉七、〈別集類〉著錄：「趙肯《酒隱集》三卷。」與此同。肯，《宋史》無傳。其父鼎臣，《宋史》亦無傳。《宋詩紀事》卷三十二「趙鼎臣」條載：「鼎臣字承之，衛城人。自號葦溪翁。元祐進士。宣和中，以右文殿修撰知鄧州，召爲太府卿。有《竹隱畸士集》。」考《宋史》卷二百八、〈志〉第一百六十一、〈藝文〉七、〈別集類〉著錄：「趙鼎臣《竹隱畸士集》四十卷。」

四六類藁三十卷

《四六類藁》三十卷，起居郎熊克子復撰。

> 廣棪案：《宋志》未著錄此書。克字子復，建寧建陽人。孝宗時除起居郎兼直學士院。《宋史》卷四百四十五、〈列傳〉第二百四、〈文苑〉七有傳。

皆四六應用之文也，亦無過人者。

　　案：《宋元學案補遺》卷四十三、〈劉胡諸儒學案補遺‧附錄〉「翰林熊先
　　生克」條載：「熊克字子復，建陽人。獨善先生蕃之子。著書有《九朝通
　　略》、《中興小曆》、《官制新典》、《帝王經譜》。壻王克勤狀其行實曰：『文
　　有顏延之錯綵之工，史有陳壽敘事之長，牧民得曹參清靜之旨，制行適
　　徐公通介之常。』《姓譜》。」直齋評克四六之文，顯與王克勤言「文有顏
　　延之錯綵之工」迥異，蓋克勤以壻作〈行狀〉，不免揄揚過實也。

克以王丞相季海薦驟用。王時在樞府，趙溫叔當國，莫知其所從來，頗
疑其由徑，沮之，而上意鄉之，不能回也。

　　案：王季海即王淮，婺州金華人。淳熙八年，拜右丞相兼樞密事，後拜
　　左丞相。《宋史》卷三百九十六、〈列傳〉第一百五十五有傳。是克之被
　　薦用在淳熙八年。趙溫叔即趙雄，資州人。淳熙五年十一月，拜右丞相。
　　《宋史》克本傳載：「克幼而翹秀，既長，好學善屬文，郡博士胡憲器之，
　　曰：『子學老於年，他日當以文章顯。』紹興中進士第，……嘗以文獻曾
　　覿，覿持白于孝宗，孝宗喜之，內出御筆，除直學士院。宰相趙雄甚異
　　之，因奏曰：『翰苑清選，熊克小臣，不由論薦而得，無以服眾論，請自
　　朝廷召試，然後用之。』上曰：『善。』乃以爲校書郎，累遷學士院權直。
　　上御選德殿，召諭曰：『卿制誥甚工，且有體，自此燕閒可論治道。』克
　　自以見知於上，數有論奏。」可參證。

拙庵雜著三十卷、外集四卷

《拙庵雜著》三十卷、《外集》四卷，工部侍郎東平趙磻老渭師撰。門
下侍郎野之姪。以婦翁歐陽懋待制澤入仕，從范石湖使金。虞丞相并父
亦薦之，遂擢用知臨安。坐殿司招兵事，謫饒州。

　　廣棪案：《宋志》未著錄此書，磻老，《宋史》無傳。潛說友《咸淳臨安
　　志》卷四十八、〈秩官〉六載：「（淳熙）三年丙申，趙磻老是日（三月初三日）
　　以朝散郎直秘閣、兩浙運副除直敷文閣知。因修垂拱殿，除直徽猷閣。
　　又車駕幸學，轉朝奉大夫。五月十二日，磻老除秘閣修撰。四年丁酉二
　　月，除權工部侍郎兼知。十一月初七日，磻老罷。」《宋人傳記資料索引》
　　載：「趙磻老，字渭卿，東平人，居吳江。以婦翁歐陽懋澤入仕，孝宗朝，

以書狀官隨范成大使金，擢正言。遷知楚州，入爲太府寺丞。淳熙三年由兩浙轉運副使知臨安府，除祕閣修撰，權工部侍郎，坐事謫饒州。有《拙庵雜著》三十卷，《外集》四卷。」可參證。趙野，開封人。靖康初爲門下侍郎。《宋史》卷三百五十二、〈列傳〉第一百一十一有傳。

雙溪集二十卷

《雙溪集》二十卷，知郴州東陽曹冠宗臣撰。由舍選登甲科，坐為秦壎假手，奪官，再赴廷試，得初品。

廣棪案：《宋志》未著錄此書。冠，《宋史》無傳。《宋詩紀事補遺》卷四十六「曹冠」條載：「字宗臣，東陽人，以鄉貢入太學。秦檜以諸孫師事之。登紹興中進士，廷唱第二，擢太常博士，兼檢正諸房公事。檜死，□□去官。孝宗時，有言許再試，又登乾道己丑進士，知彬州，轉朝奉大夫，賜金紫致仕。著有《寓言》等書。」《全宋詞》「曹冠」條亦載：「冠字宗臣，號雙溪居士，東陽人。居秦檜門下，教其孫壎。爲十客之一。紹興二十四年（1154），與壎同登甲科。二十五年（1155），自平江府府學教授擢國子錄。尋除太常博士兼權中書門下檢正諸房公事。秦檜死，放罷。尋被論駁放科名。乾道五年（1169），再應舉中第。淳熙元年（1174），臨安府通判改任太常寺主簿，被論罷新任。紹熙初，仕至郴州守。有《燕喜詞》。」均可參證。《宋詩紀事補遺》之「知彬州」，乃「知郴州」之誤。

止齋集五十三卷

《止齋集》五十三卷，館臣案：《文獻通考》作五十二卷。 廣棪案：元抄本、盧校本亦作五十二卷。中書舍人永嘉陳傅良君舉撰。

廣棪案：《宋史》卷二百八、〈志〉第一百六十一、〈藝文〉七、〈別集類〉著錄：「陳傅良《止齋集》五十二卷。」《解題》作五十三卷，實五十二卷之訛。傅良字君舉，溫州瑞安人。寧宗即位，召爲中書舍人兼侍讀、直學士院、同實錄院修撰。《宋史》卷四百三十四、〈列傳〉第一百九十三、〈儒林〉四有傳。

三山本五十卷。

案：丁丙《善本書室藏書志》卷三十、〈集部〉九著錄：「《止齋先生文集》
二十八卷，明嘉靖刊本。《止齋集》，一爲五十卷，稱三山本，蔡幼學所刊；
一爲五十二卷，曹叔遠所編，溫州教授徐鳳刊於永嘉郡齋。兩本並刊於嘉
定間，而蔡刻稍後不見流傳，傳者惟曹本耳。」考蔡幼學字行之，溫州瑞
安人。年十八，試禮部第一。是時陳傅良有文名于太學，幼學從之游。《宋
史》卷四百三十四、〈列傳〉第一百九十三、〈儒林〉四有傳。三山，即福
州。《中國古今地名大辭典》曰：「三山，福建省城名。曾鞏〈道山亭記〉：
『城中凡有三山，東曰九仙，西曰閩山，北曰越山。故郡有三山之名。』」
幼學於嘉定初，曾「除龍圖閣待制，知泉州，徙泉州，徙建康府、福州，
進福建路安撫使。」三山本或刊於其徙福州，進福建路安撫使時。

水心集二十八卷、拾遺一卷、別集十六卷

《水心集》二十八卷、《拾遺》一卷、《別集》十六卷，吏部侍郎永嘉葉
適正則撰。

廣梭案：《讀書附志》卷下、〈別集類〉三著錄：「《水心先生文集》二十
八卷。右葉適字正則之文也，門人趙汝譡序而刻之。水心，其自號云。」
《宋史》卷二百八、〈志〉第一百六十一、〈藝文〉七、〈別集類〉著錄：
「《葉適文集》二十八卷。」所著錄與《讀書附志》同。惟與《解題》相
較，均闕《拾遺》一卷、《別集》十六卷。適字正則，溫州永嘉人。寧宗
時曾權吏部侍郎。《宋史》卷四百三十四、〈列傳〉第一百九十三、〈儒林〉
四有傳。

淮東本無《拾遺》，編次亦不同。《外集》者，前九卷爲制科進卷，後六
卷號「外藁」，皆論時事，末卷號「後總」，專論買田贍兵。

案：張金吾《愛日精廬藏書志》卷三十一、〈集部‧別集類〉著錄：「《水心
先生別集》十六卷，抄本。從子謙姪藏舊抄本影寫。宋葉適撰。適有《水心文集》
二十八卷、《拾遺》一卷、《別集》十六卷，俱著錄《直齋書錄解題》。此即
《別集》十六卷也。陳振孫曰：『《別集》，前九卷爲制科進卷，後六卷號「外
稿」，皆論時事，末卷號「後總」，專論買田贍兵。』均與此合，其爲原本

無疑。明正統中，處州推官黎諒重編適《集》二十九卷，今世行本是也。其自識曰：『嘗求全書，竟不可得。』又曰：『訪求遺本，無有存者。』則原《集》之佚久矣。更四百年，原本復出，豈書之顯晦有時耶？抑適之精靈實有以呵護之也。」瞿鏞《鐵琴銅劍樓藏書目錄》卷第二十一、〈集部〉三、〈別集類〉三著錄：「《水心先生別集》十六卷，舊鈔本。題龍泉葉適撰。此書傳本絕稀，見陳氏《書錄》、趙氏《讀書附志》，分卷俱合，迺當時原本，黎氏所未見也。卷首有季振宜印、滄葦、季振宜藏書諸朱記。」是適《拾遺》一卷已佚，而《別集》十六卷猶幸有舊抄本存霄壤間。

丘文定集十卷、拾遺一卷

《丘文定集》十卷、廣棪案：《文獻通考》作「邱」，下同。《拾遺》一卷，樞密江陰丘崈宗卿撰。

　　廣棪案：《宋史》卷二百八、〈志〉第一百六十一、〈藝文〉七、〈別集類〉著錄：「《丘崈文集》十卷。」闕《拾遺》一卷。崈字宗卿，江陰軍人。寧宗時拜同知樞密院事。《宋史》卷三百九十八、〈列傳〉第一百五十七有傳。

隆興癸未進士第三人。其文慷慨有氣，而以吏能顯，故其文不彰。廣棪案：《文獻通考》作「章」。元抄本、盧校本同。

　　案：《宋史》崈本傳載：「丘崈字宗卿，江陰軍人。隆興元年進士，爲建康府觀察推官。丞相虞允文奇其才，奏除國子博士。孝宗諭允文舉自代者，允文首薦崈。有旨賜對，遂言：『恢復之志不可忘，恢復之事未易舉，宜甄拔實才，責以內治，遵養十年，乃可議北向。』」隆興癸未即隆興元年（1163），與史合。《宋史》本傳又載：「（韓）侂胄誅，以資政殿學士知建康府，尋改江淮制置大使兼知建康府。淮南運司招輯邊民二萬，號『雄淮軍』，月廩不繼，公肆剽劫，崈乃隨『雄淮』所屯，分隸守臣節制，其西路則同轉運使張穎揀刺爲御前武定軍，以三萬人爲額，分爲六軍，餘汰歸農，自是月省錢二十八萬緡，米三萬四千石。武定既成軍伍，淮西賴其力。以病丐歸，拜同知樞密院事。卒，諡忠定。崈儀狀魁傑，機神英悟。嘗慷慨謂人曰：『生無以報國，死願爲猛將以滅敵。』其忠義性然也。」是崈固以吏能顯者也。

趙忠定集十五卷、奏議十五卷

《趙忠定集》十五卷、《奏議》十五卷，丞相福公趙汝愚子直撰。別本總為一集，亦三十卷。

> 廣棪案：《宋志》未著錄此書。汝愚字子直。孝宗時右丞相，卒賜諡忠定，理宗時進封福王。《宋史》卷三百九十二、〈列傳〉第一百五十一有傳。其〈傳〉謂汝愚「所著詩文十五卷、《太祖實錄舉要》若干卷、《類宋朝諸臣奏議》三百卷」。所云詩文十五卷者，即《趙忠定集》十五卷也，惟本傳闕載《奏議》十五卷。《文獻通考》卷二百四十一、〈經籍考〉六十八、〈集別集〉「《趙忠定集》十五卷、《奏議》十五卷」條載雁湖李氏〈書後〉：「丞相餘干趙公，秉正履度，即之凜然。至形於篇章，則思致清麗逸發，雖古今能文辭者有不逮。而世顧鮮知者，非繇德業之巨，器能之偉，所以詞華見沒邪？」是汝愚與丘崈略同，殆以德業、器能見重於時，而詞華不彰於世也。

龍川集四十卷、外集四卷

《龍川集》四十卷、《外集》四卷，永康陳亮同父撰。_{廣棪案：《文獻通考》作「同甫」。}

> 廣棪案：《宋史》卷二百八、〈志〉第一百六十一、〈藝文〉七、〈別集類〉著錄：「《陳亮集》四十卷，又《外集》四卷。」是《外集》四卷者乃詞作也。亮字同父，婺州永康人。《宋史》卷四百三十六、〈列傳〉第一百九十五、〈儒林〉六有傳。

少入太學，嘗三上孝廟書，召詣政事堂，宰相無宏度，迄報罷。後以免舉為癸丑進士第一，_{廣棪案：《文獻通考》「後以免」作「後病免」。}未祿而卒。所上書論本朝治體本末源流，一時諸賢未之及也。亮才甚高而學駁，其與朱晦翁往返書，所謂「金銀銅鐵混為一器」者可見矣。平生不能詩，《外集》皆長短句，極不工而自負，以為經綸之意具在是，尤不可曉也。

> 案：《四庫全書總目》卷一百六十二、〈集部〉十五、〈別集類〉十五著錄：「《龍川文集》三十卷，_{浙江巡撫採進本。}宋陳亮撰。亮有《三國紀年》，已著錄。亮與朱子友善，故搆陷唐仲友於朱子，朱子不疑。然才氣雄毅，有志事功，持論乃與朱子相左。羅大經《鶴林玉露》記『朱子告亮之言

曰：「凡眞正大英雄，須是戰戰兢兢，從薄冰上履過去。」蓋戒其氣之銳
也。』岳珂《桯史》又記『呂祖謙歿，亮爲文祭之，有「孝弟忠信，常
不足以趨天下之變；而材術辨智，常不足以定天下之經」語。朱子見之，
大不契。遺書娄人，詆爲怪論。亮聞之，亦不樂，他日〈上孝宗書〉曰：
「今世之儒士，自謂得正心誠意之學者，皆風痺不知痛癢之人也。」蓋
以微諷晦翁，晦翁亦不訝也』云云。足見其負氣傲睨，雖以朱子之盛名，
天下莫不攀附，亦未嘗委曲附和矣。今觀《集》中所載，大抵議論之文
爲多。其才辨縱橫，不可控勒，似天下無足當其意者。使其得志，未必
不如趙括、馬謖狂躁僨轅。但就其文而論，則所謂開拓萬古之心胸，推
倒一時之豪傑者，殆非盡妄。與朱子各行其志，而始終愛重其人，知當
時必有取也。《宋名臣言行錄》謂其在孝宗朝六達帝廷，上書論大計。今
《集》中獨有〈上孝宗四書〉，及〈中興論〉。考《宋史》所載亦同。又
《言行錄》謂垂拱殿成，進賦以頌德，又進〈郊祀慶成賦〉，今《集》中
均不載。葉適〈序〉謂亮《集》凡四十卷。今是《集》僅存三十卷，蓋
流傳既久，已多佚闕，非復當時之舊帙。以世所行者祇有此本，故仍其
卷目，著之於錄焉。」可參證。

葉適未遇時，_{廣棪案：}《文獻通考》「葉適」作「葉正則」，元抄本、盧校本同。**亮**
獨先識之，後爲〈集序〉及〈跋〉皆含譏誚，識者以爲議。

案：《文獻通考》卷二百四十一、〈經籍考〉六十八、〈集別集〉「《龍川集》
四十卷、《外集》四卷」條載：「水心葉氏〈集序〉曰：『同甫文字行於世
者，〈酌古論〉、〈陳子課藁〉、〈上皇帝三書〉，最著者也。子沆聚他作爲
若干卷以授予。初天子得同甫所上〈書〉，驚異累日，以爲絕出。使執政
召問，當從何處下手，將由布衣徑唯諾殿上，以定大事，何其盛也。然
而詆訕交起，竟用空言羅織成罪，再入大理獄幾死，又何酷也。使同甫
晚不登進士第，則世終以爲狠疾人矣！嗚呼悲夫！同甫其果有罪於世
乎？天乎？余知其無罪也。同甫其果無罪於世乎？世之好惡未有不以情
者，彼於同甫何獨異哉？雖然，同甫爲德不爲怨，自厚而薄責人，則疑
若以爲有罪焉可矣。同甫既修皇帝王霸之學，上下二千餘年，考其合散，
發其祕藏，見聖賢之精微常流行於事物，儒者失其指，故不足以開物成
務。其說皆今人所未講，朱公元晦意有不與，而不能奪也。呂公伯恭退
居金華，同甫閒往視之，極論至夜，呂公歎曰：「未可以世爲不能用，虎

帥以聽，誰敢犯予同甫！」亦頗慰意焉。余最鄙且鈍，同甫微言，十不能解一二，獨以爲可教者。病眊十年，耗忘盡矣！今其遺文大抵班班具焉，覽者詳之而已。』」觀葉〈序〉所論，於同甫似未嘗譏誚也。

軒山集十卷

《軒山集》十卷，樞密使獻肅公濡須王藺謙仲撰。淳熙乙未，駕幸太學，藺爲武學諭，在班列中，人物偉然，上一見奇之，自是擢用，馴至執政。廣棪案：《文獻通考》「馴」上有「不由邑最，徑爲察官」八字，元抄本、盧校本同。其在經帷，論官僚攀附而登輔佐者，挾數用術，道諛濟私，陳義凜然。嘉定以來，其子孫不敢求仕，亦不敢請諡，至端平乃得諡。廣棪案：《宋志》未著錄此書。《宋史》卷三百八十六、〈列傳〉第一百四十五、〈王藺〉載：「王藺字謙仲，廬江人。乾道五年，擢進士第。爲信州上饒簿、鄂州教授、四川宣撫司幹辦公事，除武學諭。孝宗幸學，藺迎法駕，立道周，上目而異之，命小黃門問知姓名，由是簡記。遷樞密院編脩官，輪對，奏五事，讀未竟，上喜見顏色。明日，諭輔臣曰：『王藺敢言，宜加獎擢。』除宗正丞，尋出守舒州。陛辭，奏疏數條，皆極言時事之未得其正者，上曰：『卿議論峭直。』尋出手詔：『王藺鯁直敢言，除監察御史。』一日，上袖出幅紙賜之，曰：『比覽陸贄〈奏議〉，所陳深切，今日之政恐有如德宗之弊者，可思朕之闕失，條陳來上。』藺即對曰：『德宗之失，在於自用遂非，疑天下士。』退即上疏，陳德宗之弊，并及時政闕失，上嘉納之。遷起居舍人，言：『朝廷除授失當，臺諫不悉舉職，給、舍始廢繳駁，內官、醫官、藥官賜予之多，遷轉之易，可不思警懼而正之乎？』上竦然曰：『非卿言，朕皆不聞。磊磊落落，惟卿一人。』除禮部侍郎兼吏部。嘗因手詔『謀選監司，欲得剛正如卿者，可舉數人』。即奏舉潘時、鄭矯、林大中等八人，乞擢用。會以母憂去。服除，召還爲禮部尚書，進參知政事。光宗即位，遷知樞密院事兼參政，拜樞密使。光宗精屬初政，藺亦不存形跡，除目或自中出，未愜人心者，輒留之，納諸御坐。或議建皇后家廟，力爭以爲不可，因應詔上疏『願陛下先定聖志』，條列八事，疏入，不報。中丞何澹論之，以罷去。起帥闈，易鎮蜀，皆不就。後領祠，帥江陵。寧宗

即位，改帥湖南。臺臣論罷，歸里奉祠。七年薨。蘭盡言無隱，然嫉惡
太甚，同列多忌之，竟以不合去。有《奏議》傳于世。」可參證。考淳
熙乙未爲二年。嘉定，寧宗年號。端平，理宗年號。蓋以蘭嫉惡太甚，
同列多忌，故其子孫於寧宗朝既不敢求仕，亦不敢請謚也。蘭有《軒山
集》十卷，眞德秀《西山文集》卷三十九有〈跋王樞使軒山集〉，曰：「樞
密相濡須王公，以精忠勁節際遇阜陵，片言悟意，遂定君臣之契。不十
年間，參和鼎飪，獨幹斗樞。明薺駿烈，爲一時名輔弼之最。嘉定更化，
初諸老聚在闕庭，多能道公秉政時事。某後假守洪、潭，又皆公故鎮，
拊地流風，遺績猶有存者。心誠鄉之，獨恨未得其平生遺文，讀之以自
壯。紹定四年，公之子通判汀州杅以《軒山集》來示。其詔告溫醇，得
王言體；表章詩什，寫出智臆，不待藻飾，而辭義煥然。蓋公之爲人，
英邁卓犖，軒豁明白，故其詩文往往似之。彼世之琱章刻句，自以爲工
且麗者，方之蔑矣。然公文之偉尤在奏議，顧不見《集》中，豈以言論
峻切，似彰時政之闕故邪？嗚呼！不觀歐、余、王、蔡之諫疏，無以知
仁皇如天之盛德。方乾道、淳熙間，眾賢攢于朝，直言屬於耳，此孝宗
之所以聖也。然則公之奏議弗傳，可乎？故筆之編末以竢。」可參考。

合齋集十六卷

《合齋集》十六卷，祕書少監永嘉王栐木叔撰。

　　廣棪案：《宋志》未著錄此書。栐字木叔，號合齋。寧宗時除秘書少監。
　　《宋史翼》卷十四、〈列傳〉第十四有傳。其〈傳〉云：「尤工於文，所
　　著有《王秘書詩文集》共二十卷。」考《宋元學案》卷五十二、〈艮齋
　　學案・艮齋門人〉「祕監王合齋先生栐」條載：「雲濠案：《謝山學案箚
　　記》，《王合齋集》十六卷、《詩》四卷。」是〈傳〉作二十卷，殆合《詩》
　　四卷而言也。

乾道丙戌進士。

　　案：《宋史翼》栐本傳載：「王栐字木叔，號合齋，故順州人。石晉以其
　　地入契丹，徙永嘉。乾道丙戌進士，爲婺州推官。」丙戌，乾道二年（1166）
　　也。

在永嘉諸老最為先登。其容貌偉然，襟韻灑然，雖不以文自鳴，而諸老皆推敬之。

案：《宋史翼》梆本傳載：「少與永嘉諸公同學，及仕于台，寮屬如尤遂初、樓攻媿，以及彭子復、王應之輩，皆相砥礪。崖崝孤特，不輕狗物。」可供參證。

兼山集四十卷

《兼山集》四十卷，端明殿學士劍門黃裳文叔撰。

廣棪案：《宋史》卷二百八、〈志〉第一百六十一、〈藝文〉七、〈別集類〉著錄：「《黃裳集》六十卷。」即此書，惟卷數不同。裳字文叔，隆慶府普成人。年四十九卒，贈資政殿學士，《宋史》卷三百九十三、〈列傳〉第一百五十二有傳。考樓鑰《攻媿集》卷九十九、〈誌銘〉有〈端明殿學士致仕贈資政殿學士黃公墓誌銘〉，載：「公諱裳，字文叔，其先出江夏，唐晚徙梓之安泰。六世祖曰文友，……文友生皐，皐生莘，莘生楔，是為公祖，塝何氏，始籍隆慶之普成。……公連三歲病瘡，至是，以積憂故，瘡雖損而他疾乘之。九月二十四日，卒不起。方疾亟，命子弟秉筆口占遺表，大抵不異前奏意。曰：『陛下好為之。』上大驚詫傷悼，即日批出，除公端明殿學士致仕，他恩禮悉依執政。朝廷上下聞公死，皆撫手相弔，以為國之不幸也。丞相為上言，至泣下不能已，遂贈公資政殿學士，所以賵卹之加厚。」是劍門即隆慶府。又裳初以端明殿學士致仕，卒贈資政殿學士。《解題》與《宋史》各有所據也。《宋史》本傳又載：「有《王府春秋講義》及《兼山集》。」是裳《集》固稱《兼山集》也。

在嘉邸最久，備盡忠益。

案：《宋史》裳本傳載：「遷嘉王府翊善，……裳久侍王邸，每歲誕節，則陳詩以寓諷。初嘗製渾天儀、輿地圖，侑以詩章，欲王觀象則知進學，如天運之不息，披圖則思祖宗境土半陷於異域而未歸。其後又以王所講三經為詩三章以進。王喜，為置酒，手書其詩以賜之。王嘗侍宴宮中，從容為光宗誦〈酒誥〉曰：『此黃翊善所教也。』光宗詔勞裳，裳曰：『臣不及朱熹，熹學問四十年，若召置府寮，宜有裨益。』光宗嘉納。裳每勸講，必援古證今，即事明理，凡可以開導王心者，無不言也。」嘉王即寧宗。

甲寅御極，未及大用，病不能朝，士論惜之。

案：《宋史》黃裳本傳載：「寧宗即位，裳病不能朝，改禮部尚書。尋兼侍讀，力疾入謝。……遂口占遺表而卒，年四十九。上聞之驚悼，贈資政殿學士。……嘉定中，謙忠文。」可參證。甲寅，宋光宗紹熙五年（1194）；翌年始爲宋寧宗慶元元年（1195）。

攻媿集一百二十卷

《攻媿集》一百二十卷，_{廣棪案：盧校注：聚珍版百十二卷。}**參政四明樓鑰大防撰。**

廣棪案：《宋史》卷二百八、〈志〉第一百六十一、〈藝文〉七、〈別集類〉著錄：「《樓鑰文集》一百二十卷。」與此同。鑰字大防，明州鄞縣人。寧宗時，除端明殿學士，簽書樞密院事，升同知，進參知政事。《宋史》卷三百九十五、〈列傳〉第一百五十四有傳。其〈傳〉曰：「鑰文辭精博，自號攻媿主人，有《集》一百二十卷。」與《解題》及《宋志》合。

隆興癸未省試考作賦魁，以犯諱當黜，知舉洪文安遵奏收寘末甲首。_{館臣案：原本「寘」字下闕，今據《文獻通考》校補。　廣棪案：《文獻通考》作「寘三甲首」。}

案：《宋史》鑰本傳載：「隆興元年，試南宮，有司偉其辭藝，欲以冠多士。策偶犯舊諱，知貢舉洪遵奏，得旨以冠末等。投贄謝諸公，考官胡銓稱之曰：『此翰林才也。』」可參證。隆興癸未，孝宗隆興元年（1163）也。

齊齋甲藁二十卷、乙藁十五卷、翰林前藁二十卷、後藁二卷、掖垣詞草二十卷、兼山論著三十卷、附益五卷、年譜一卷

《齊齋甲藁》二十卷、《乙藁》十五卷、《翰林前藁》二十卷、《後藁》二卷、《掖垣詞草》二十卷、《兼山論著》三十卷、《附益》五卷、_{廣棪案：《文獻通考》作「《附錄》五卷」，元抄本同。}《年譜》一卷，禮部尚書歸安倪思正父撰。

廣棪案：《宋史》卷二百八、〈志〉第一百六十一、〈藝文〉七、〈別集類〉著錄：「倪思《奏議》二十六卷，又《歷官表奏》十卷、《翰林奏草》一卷、

《翰林前藁》二十卷、《翰林後藁》二卷。」《宋元學案》卷四十、〈橫浦學案‧倪氏家學〉「文節倪齊齋先生思」條後全祖望謹案:「所著《齊齋甲乙稿》、《兼山集》及經解、雜著等,共四百一十三卷,今多不傳。」所著錄均與《解題》不同。思字正甫,湖州歸安人。寧宗時除禮部尚書。《宋史》卷三百九十八、〈列傳〉第一百五十七有傳。

丙戌進士,戊戌宏詞。受知皁陵,蚤登禁直。紹熙間遂位法從,立朝剛介不苟合。

案:《宋史》思本傳載:「乾道二年進士,中博學宏詞科。累遷祕書郎,除著作郎兼翰林權直。光宗即位,典冊與尤袤對掌。故事,行三制並宣學士。上欲試思能否,一夕併草除公師四制,訓詞精敏,在廷誦歎。」丙戌即乾道二年(1166)。思之立朝剛介不苟合,《宋元學案》「文節倪齊齋先生思」條載:「先生孤行一意。其在乾、淳間,不為周益公所喜。趙忠定公嘗稱先生為真侍講,而先生亦以事忤之。陳止齋、章茂獻,皆其所不咸也。朱子入朝,君子傾心歸之,先生亦落落,人頗疑之。及其為周、趙、朱三公〈制詞〉,極其獎許,乃知其無私。慶元之召為吏部也,佗冑亦以先生故,與諸君不甚相得,意欲援之以自助,遣弟仰冑道意,先生謝之,是以有太平之謫。及再起,乃大忤以去,葉公水心極嘆之。_{補。}」可參證。

慶元、嘉定,屢召屢出,嘗言「與其為有瑕執政,寧為無瑕從官」,由是名重天下。

案:《宋元學案補遺》卷四十、〈橫浦學案補遺‧倪氏家學〉「_補文節倪齊齋先生思‧附錄」載杜清獻〈跋倪文節遺奏〉曰:「道喪俗弊,士氣日卑,數十年來卓然以風節自見,磊落如公者,不能以一二數。當淳、紹間,駸駸嚮用。未幾屢踣屢起。正嘉定更化,召用諸老,濟濟在庭,而公獨危言激論,落落不合,自此一斥不復。屏居十年,閉門著書,暇日棹扁舟,策短杖,賦詩酌酒,幾與世相忘者。至其親稿遺奏,愛君一念,至死不忘。八柄四維之論,氣不少懾,所言未形之患,無一不酬。使公之志得於時,豈有二三十年澁染壞爛,不可收拾若是。其可痛哉!」可參證。

端平初，詔以先朝遺直，得諡文節。

　　案：《宋史》本傳載：「嘉定十三年卒，諡文節。」《宋元學案》「文節倪齊齋先生思」條載：「十三年卒，遺表乞收爵祿賞罰之八柄，張禮義廉恥之四維，聞者悲之。諡文節。」是《宋史》與《宋元學案》均以嘉定十三年（1220）卒賜諡，《解題》或另有所據。考端平，理宗年號，疑倪思至此時始得諡。

晦巖集十二卷

《晦巖集》十二卷，祕書丞鹽官沈清臣正卿撰。

　　廣棪案：《宋志》未著錄此書。清臣字正卿，鹽官人，居烏程。孝宗淳熙十六年三月遷秘書丞。《宋史翼》卷十四、〈列傳〉第十四有傳。《宋元學案》卷四十、〈橫浦學案・橫浦門人〉「祕監沈晦巖先生清臣」條，雲濠案：「先生所著有《晦巖集》十二卷。」與此同。

嘗為國子錄，有薦于朝，欲得召試，執政有發笑者曰：「安有張子蓋女壻，而可為館職者乎？」遂罷。

　　案：《宋元學案》「祕監沈晦巖先生清臣」條載：「沈清臣，字正卿，鹽官人也。紹興丁丑進士，官國子錄。有薦之召試者，執政或發笑曰：『安有張子蓋女壻可為館職者！』遂罷，先生憤之。」可參證。張子蓋，張俊從子。《宋史》卷三百六十九、〈列傳〉第一百二十六附〈張俊〉。〈張俊傳〉載：「南渡後，俊握兵最早，屢立戰功，與韓世忠、劉錡、岳飛並為名將，世稱張、韓、劉、岳。然濠、壽之役，俊與錡有隙，獨以楊沂中為腹心，故有濠梁之劫。岳飛冤獄，韓世忠救之，俊獨助檜成其事，心術之殊也，遠哉！帝於諸將中眷俊特厚，然警敕之者不絕口。自淮西入見，則教其讀〈郭子儀傳〉；召入禁中，戒以毋與民爭利，毋興土木。」又〈張子蓋傳〉載：「子蓋從俊征討藕塘、柘皋，雖多奏功，未能出諸將右，惟海州一捷可稱云。」執政或以此而輕清臣。

欲為奇節以蓋之，會王希呂為諫官，上書力言其不可，孝宗大怒，時相虞允文惡沈介，下清臣大理，風使引介，不從，謫封州。

　　案：《宋元學案》「祕監沈晦巖先生清臣」條載：「會以歸正人王希呂為

諫官，先生上書言其不可，語侵宰相，孝宗大怒。時虞允文惡沈介，乃下先生于理，風使引之，先生不可，謫封州，益勵風節。」可參證。

晚乃召用，勸孝宗力行三年喪。

案：《宋元學案》「祕監沈晦巖先生清臣」條載：「晚乃召為敕令局刪定官。孝宗欲行三年之喪，執政大臣皆主易月之說，諫官謝諤、禮官尤袤心知其不可，而莫敢盡言。先生疏陳六事：其一謂：『三年終制，本之《禮經》行之，陛下不必以滿廷之說，有所回惑。』其一謂：『群臣請陛下還內之期，方下禮官集議。臣以為當俟梓宮發引，始還大內。』其一謂：『金人會慶節使，三省、密院引明肅升遐故事，請陛下見之。吏部尚書蕭燧以既罷百官慶壽，恐難以見使人，但可于小祥後二日引見于德壽宮素幄，是調停之說也，已有詔從之矣。竊考仁宗時嘗使契丹，遭鹵有喪，至柳河而還，鹵王不見也。夷狄尚知有禮，中原乃不如邪？況陛下居喪，與明肅時事體不同。望斷自宸衷，勿牽群議。』上大以為然。是日，先生所奏八千餘言，展讀甚久，知閣張嶷奏已展正，引例隔下，先生奏讀如初。移時，嶷云簡之，上目留先生，令弗卻。又良久，嶷奏進膳，先生正色謂曰：『所言乃大事！』讀竟，乃退。孝宗喜曰：『卿十年去國，今不枉矣！』于是命就館，津遣金使，卻其書幣，金使感嘆而去。其後雖以群臣五上表請還內，孝宗勉從之，于小祥後二日還內，設素幄奏事，而三年之喪遂定。及大祥，群臣三上表，引〈康誥〉冕服出應門語，請御殿，詔許于祔廟後行之。先生疏言：『陛下當堅持前此內殿聽政之旨。祔廟後御殿，終為非禮。將來祔廟畢日，豫降御筆，截然示以終喪之志，杜絕輔臣來章，勿令再有陳請，力全聖孝，以刑四海。』上嘉納之。及祔畢，竟如先生所請，罷御殿禮，且斷群臣之請。論者謂是時儒臣林立，莫能成帝志，而力破滿朝淺薄之說者，庶寮一人而已。」可參證。

為翊善嘉邸，以直諒稱。

案：《宋元學案》「祕監沈晦巖先生清臣」條載：「尋充嘉王府翊善，以直諒稱。尋遷祕書監。」可參證。考《宋元學案》稱清臣遷秘書監，《解題》記其任官為秘書丞。《宋史翼》據《中興館閣錄》亦謂「(淳熙) 十六年三月遷秘書丞」，疑《宋元學案》誤也。

初從張無垢學，後居霅川。自嶺南歸，開門受徒，廣梭案：《文獻通考》「受」作「授」。盧校注：「『受』，新《通考》改『授』。」動以聖賢自命，效禪門入室規式，與其徒問答，下語不契，輒使再參，頗為人所譏。

案：《宋元學案》「祕監沈晦巖先生清臣」條載：「光宗即位，先生以舊學在朝，趙忠定公倚之，宵人側目，被章去。黨論起，有造為先生告人之言曰：『相公乃壽皇養子。』又言先生嘗告忠定曰：『外間軍民皆推戴公。』禍且岌岌，先生講學如故。尋卒。先生少學于橫浦，既自嶺南歸，遷居茗上，甚以師道自重。獨其與門生問答，一語不契，輒使再參，頗近禪門，蓋亦橫浦佞佛之傳。同時如玉山、忠甫，皆能幹師門之蠱，惜先生之澄汰未盡也。然大節則不媿于聖人之徒矣。」可參證。

靜安作具十四卷、別集十卷

《靜安作具》十四卷、《別集》十卷，清江徐得之思叔撰。與其子筠孟堅同甲辰進士。

廣梭案：《宋志》未著錄此書。得之，字思叔，臨江人，《宋史》卷四百三十八、〈列傳〉第一百九十七、〈儒林〉八附其兄〈徐夢莘〉，載：「得之字思叔，淳熙十年舉進士。部使者以廉吏薦，以通直郎致仕。安貧樂分，不貪不躁。著《左氏國紀》、《史記年紀》，作《具庵篋筆略》、《鼓吹詞》、《郴江志》。」筠，《宋史》無傳。《宋元學案》卷五十二、〈止齋學案・止齋門人〉「知州徐先生筠」條載：「徐筠，字孟堅，清江人。進士，知金州。《周禮微言》十卷，記其所聞于止齋者。嘗述止齋之言曰：『《周禮》綱領有三，養君德，正紀綱，均國勢。鄭氏《註》誤有三，以漢儒之書釋《周禮》，以《司馬法》之兵制釋田制，以漢官制之襲秦者比《周官》。』_補。」《宋人傳記資料索引》：「徐筠字孟堅，清江人，得之長子。登淳熙十一年進士，累官知金州。著有《周禮微言》十卷、《漢官考》四卷、《姓氏源流考》七十卷、《修水志》十卷。」考甲辰為淳熙十一年（1184），《宋史》誤。

次子天麟仲祥亦乙丑甲科。

案：《宋史》得之本傳載：「天麟字仲祥，開禧元年進士。調撫州教授，歷湖廣總領所幹辦公事、臨安府教授、浙西提舉常平司幹官、主管禮兵

部架閣、宗學諭、武學博士。輪對，言人主當持心以敬。奉祠仙都觀，
通判惠、潭二州，權英德府，權發遣廣西轉運判官。所至興學明教，有
惠政。著《西漢會要》七十卷、《東漢會要》四十卷、《漢兵本末》一卷、
《西漢地理疏》六卷、《山經》三十卷。既謝官，作亭蕭灘之上，畫嚴子
陵像而事之。」乙丑，開禧元年（1205）。

其家長於史學。

案：《宋史・徐夢莘傳》載：「夢莘恬於榮進，每念生於靖康之亂，四歲而
江西阻訌，母褓負亡去，得免。思究見顛末，乃網羅舊聞，會稡同異，爲
《三朝北盟會編》二百五十卷，自政和七年海上之盟，訖紹興三十一年完
顏亮之斃，上下四十五年，凡曰敕、曰制、誥、詔、國書、書疏、奏議、
記序、碑志，登載靡遺。帝聞而嘉之，擢直秘閣。夢莘平生多所著，有《集
補》，有《會錄》，有《讀書記志》，有《集醫錄》，有《集仙錄》，皆以『儒
榮』冠之。其嗜學博文，蓋孜孜爲死而後已者。開禧元年秋八月，卒，年
八十二。夢莘弟得之，從子天麟。」是清江徐氏長於史學也。

定齋集四十卷

《定齋集》四十卷，寶謨閣直學士蔡戡定夫撰。

廣棪案：《宋志》未著錄此書。《四庫全書總目》卷一百六十、〈集部〉十
三、〈別集類〉十三著錄：「《定齋集》二十卷，《永樂大典》本。宋蔡戡撰。……
《集》本四十卷，乃紹定三年其季子戶部郎官總領四川財賦廙所刊，眉
山李埴爲〈序〉。見於陳振孫《書錄解題》。今據《永樂大典》所載者，
蒐採彙集，並集歷代名臣奏議得所未載者二十篇，互相訂正，釐爲二十
卷。較諸原目，十殆得其五矣。」是此《集》猶存二十卷。戡字定夫，
福建仙游人。開禧初，韓侂胄當國，戡請老，以寶謨閣直學士致仕。《宋
史翼》卷十四、〈列傳〉第十四有傳。

君謨四世孫，丙戌甲科。

案：《宋史翼》戡本傳載：「祖伸，父洸。戡以蔭補建康府溧陽縣尉。乾
道二年登進士科。丙戌，乾道二年。君謨，蔡襄字，《宋史》卷三百二十、
〈列傳〉第七十九有傳。考《宋史翼》卷九、〈列傳〉第九、〈蔡伸〉載：

「蔡伸，字申道。祖襄，《宋史》有傳。父明，官寶義郎，開封府士曹。
伸生三歲而孤，稍長，與兄佃、仙入太學，俱有聲，時號三蔡。」是襄
生明，明生伸，伸生洸，洸生戡。戡乃襄之四世孫。

東江集十卷

《東江集》十卷，丞相臨海謝深甫子肅撰。

　　廣棪案：《宋志》未著錄此書。深甫字子肅，台州臨海人。寧宗慶元時拜
　　右丞相。《宋史》卷三百九十四、〈列傳〉第一百五十三有傳。《宋詩紀事》
　　卷五十三「謝深甫」條載：「深甫字子肅，臨海人。乾道二年進士，累官
　　知樞密院兼參知政事，拜右丞相。以少傅致仕。理宗朝，以孫女爲皇后，
　　追封魯王，諡惠正。有《東江集》。」可參證。

小山雜著八卷

《小山雜著》八卷，_{廣棪案：元抄本此條在「《東江集》」條前。}知樞密院龍泉
何澹自然撰。

　　廣棪案：《宋志》未著錄此書。澹字自然，處州龍泉人。寧宗時知樞密院。
　　《宋史》卷三百九十四、〈列傳〉第一百五十三有傳。《宋人傳記資料索
　　引》載：「何澹，字自然，處州龍泉人。乾道二年進士。寧宗時累官知樞
　　密院。澹美姿容，善談論，少年取科第，急於榮進，阿附權奸，斥逐善
　　類，主僞黨之禁。其後凶黨俱逐，澹則以早退倖免，優遊散地幾二十年。
　　有《小山集》。」疑《小山集》與《小山雜著》爲同一書。

慈谿甲藁二十卷

《慈谿甲藁》二十卷，寶謨閣直學士慈谿楊簡敬仲撰。

　　廣棪案：《宋志》未著錄此書。簡字敬仲，慈谿人。理宗即位，進寶謨閣
　　直學士，賜金帶。《宋史》卷四百七、〈列傳〉第一百六十六有傳。其〈傳〉
　　曰：「簡所著有《甲稿》、《乙稿》、《冠記》、《昏記》、《喪禮家記》、《家祭
　　記》、《釋菜禮記》、《石魚家記》，又有《己易》、《啓蔽》等書。」是簡除
　　《慈谿甲稿》外，著作甚富贍。

鈍齋集六十卷

《鈍齋集》六十卷，著作郎唐安楊濟濟道撰。廣棪案：《文獻通考》闕「唐安」二字。淳熙五年進士。京鏜帥蜀，上巳出邀，濟為樂語，首云：「三月三日，豈無水邊麗人；一詠一觴，亦有山陰禊事。」又云：「良辰美景，賞心樂事，四者難并；崇山峻嶺，脩竹茂林，群賢畢至。」一時傳誦。京為相，召入館權郎，出知果州而終。廣棪案：《文獻通考》作「以終」。

廣棪案：《宋志》未著錄此書。濟，《宋史》無傳。《宋詩紀事》卷五十五「楊濟」條載：「濟字濟道。淳熙五年進士，歷著作郎，出知果州。有《鈍齋集》。」至京鏜，字仲遠，豫章人。《宋史》卷三百九十四、〈列傳〉第一百五十三有傳。其〈傳〉載：「四川闕帥，以鏜為安撫制置使兼知成都府。鏜到官，首罷征斂，弛利以予民。瀘州卒殺太守，鏜擒而斬之，蜀以大治。召為刑部尚書。寧宗即位，甚見尊禮，由政府累遷為左丞相。」是則鏜帥蜀在光宗時，其為相在寧宗時。由此亦可推知楊濟為樂語，及其入館權郎與出知果州之歲月矣。魏了翁《鶴山集》卷五十三、〈序〉有〈楊濟道鈍齋集序〉，曰：「江出徼外，至岷山，其氣清淑以舒。士生其間，矜行義，多才觀。文人秀士，肩項相望。鈍齋楊侯最後出，才思華贍，頡頏前修，公卿侯牧，屬治牋記，名章麗藻，泉激電發。余雖生晚，猶及與之接，且知其得又不專在語言文字間也。方小人託偽學之名，排擯異己，侯較藝南宮，胡紘為主舉，怙長茂惡，莫之敢攖。侯據正無所撓。余時入承大問，聞其事而偉之。未幾，權臣使人忧君，將寘諸言路，君謝不可，至為歌詩以見志。蓋自是不得久居中矣。士生斯世，將以宅天衷而奠人極，非以記覽詞章，矜多鬪靡為悅者也。本之則無纖能，小惠蔓詞以相挺，此如蟪菌之感人耳目，倏然而腐草朽壤矣。侯之子鉉、銓，將以侯平生所為文鋟諸木，而屬書其篇首，乃不果辭。侯名某，字濟道，嘗長右掖兼吏部郎，歷漢東太守，終潼川路轉運判官。」可參考。

周氏山房集二十卷、後集二十卷

《周氏山房集》二十卷、《後集》二十卷，祕書省正字吳郡周南南仲撰。

廣棪案：《宋史》卷二百八、〈志〉第一百六十一、〈藝文〉七、〈別集類〉

著錄：「周南《山房集》五卷。」與《解題》著錄卷數不同，又闕《後集》二十卷。周南字南仲，平江人。開禧三年召試館職，未明言除秘書省正字。《宋史》卷三百九十四、〈列傳〉第一百五十三附〈黃度〉。平江即吳郡。

南有聲學校，庚戌登甲科，而仕不偶，再入館，再罷，以殿廷所授文林郎終焉。

案：《宋史》周南本傳載：「周南字南仲，平江人。年十六，游學吳下，視時人業科舉，心陋之。從葉適講學，頓悟捷得。為文詞，雅麗精切，而皆達於時用，每以世道興廢為己任。登紹熙元年進士第，為池州教授。會（黃）度以言忤當路，御史劾度，并南罷之。度與南俱入偽學黨。開禧三年，召試館職。南對策詆權要，言者劾南，罷之，卒于家。南端行拱立，尺寸有程準。自賜第授文林郎，終身不進官，兩為館職，數月止。既絕意當世，弊衣惡食，挾書忘晝夜，曰：『此所以遺吾老，俟吾死也。』」可參證。庚戌，即光宗紹熙元年（1190）。

二松集十八卷

《**二松集**》**十八卷**，館臣案：《文獻通考》「二松」作「三松」，《宋史·藝文志》不載。　廣棪案：盧校注：「余僅見四六抄本。《桯史》載其〈淳熙內禪頌〉，贍蔚典麗，然不果進。誠齋謂其史論有遷、固之風，其古文有韓、柳之則，其詩句有蘇、黃、后山之味。至于四六，踵六一、東坡之步武，超然絕塵，崛奇層出，自汪彥章、孫仲益諸公而下不論也。成都帥幕歸後，即不出。」**盧陵王子俊才臣撰。周益公、楊誠齋客，以列薦補官入蜀，**廣棪案：《文獻通考》「以」上有「各」字。**為成都帥幕。**

廣棪案：《宋志》未著錄此書。子俊，《宋史》無傳。《宋詩紀事》卷五十七「王子俊」條載：「子俊字才臣，號格齋，盧陵人。周益公、楊誠齋之客，以薦官成都帥幕，有《三松集》。」《宋人傳記資料索引》載：「王子俊，字才臣，一字巨臣，號格齋，吉水人，大臨子。安丙帥蜀，嘗辟為制置使屬官。撰有《格齋四六》，其文典雅流麗，足驂駕汪藻、孫覿。又有《三松集》。」均可參證。

橫堂小集十卷

《橫堂小集》十卷，_{廣棪案：元抄本、盧校本「堂」作「塘」。}右司郎中福清林桷子長撰。

廣棪案：《宋志》未著錄此書。桷，《宋史》無傳。梁克家《淳熙三山志》卷二十八、〈人物類〉三、〈科名〉載：「（紹興）二十一年_{辛未}楊遴榜。林桷，_{字景安，長溪人，終迪功郎。}」《宋詩紀事》卷五十「林桷」條載：「桷字子長，一字景安。長溪人。紹興二十一年進士，秦熺之壻。官右司郎中，有《橫堂小集》。」可參證。考福清，今福建福清縣；長溪，今福建霞浦縣；未知孰是。

潔齋集二十六卷、後集十三卷

《潔齋集》二十六卷、《後集》十三卷，_{館臣案：《後集》，《文獻通考》作十二卷。}　_{廣棪案：盧校注：「聚珍版《潔齋集》二十四卷，從《永樂大典》中抄出。」}禮部侍郎四明袁燮和叔撰。

廣棪案：《宋志》未著錄此書。燮字和叔，慶元府鄞縣人。寧宗嘉定時除禮部侍郎兼侍讀，學者稱潔齋先生。《宋史》卷四百、〈列傳〉第一百五十九有傳。《宋元學案》卷七十五、〈潔齋學案·呂陸門人〉「正獻袁潔齋先生燮」條，雲濠案：「先生伯子喬，嘗錄家庭所聞，為〈潔齋家塾書鈔〉十卷，《四庫》收入經部，釐為十二卷。又《潔齋集》二十四卷。」可參證。雲濠案語謂《潔齋集》二十四卷，殆據聚珍版本言之。

北山集略十卷

《北山集略》十卷，直龍圖閣三山陳孔碩膚仲撰。全集未傳。

廣棪案：《宋志》未著錄此書。孔碩，《宋史》無傳。《宋元學案》卷六十九、〈滄洲諸儒學案上·晦翁門人〉「修撰陳北山先生孔碩、陳先生孔夙_{合傳}」條載：「陳孔碩，字膚仲，侯官人。祖禧、父衡，皆為晦翁所稱許。先生少即以聖賢自期。既從南軒、東萊學，後偕其兄孔夙事晦翁。著《中庸大學解》、《北山集》，學者稱為北山先生。官祕閣修撰。子韡，從葉水心遊。」可參證。然《宋元學案》謂孔碩官祕閣修撰，與《解題》

不同，未知孰是。或孔碩先除祕閣修撰，後直龍圖閣，故二書各有所據也。

育德堂外制集八卷、內制集三卷

《育德堂外制集》八卷、《內制集》三卷，兵部尚書永嘉蔡幼學行之撰。

廣棪案：《宋史》卷二百八、〈志〉第一百六十一、〈藝文〉七、〈別集類〉著錄：「蔡幼學《育德堂集》五十卷。」是《宋志》所著錄者爲全集，故較《解題》卷數爲多。幼學字行之，溫州瑞安人。嘉定時，權兵部尙書。《宋史》卷四百三十四、〈列傳〉第一百九十三、〈儒林〉四有傳。

成童穎異，從同郡陳傅良君舉學治《春秋》，年十七，試補上庠，首選，陳反出其下。明年，陳改用賦，冠監舉，而幼學為經魁。又明年，省闈先多士，而傅良亦為賦魁。一時師弟子雄視場屋，莫不歆艷。廣棪案：《文獻通考》作「歆羨」。

案：《宋史》幼學本傳載：「蔡幼學字行之，溫州瑞安人。年十八，試禮部第一。是時，陳傅良有文名于太學，幼學從之游。月書上祭酒芮燁及呂祖謙，連選拔，輒出傅良右，皆謂幼學之文過其師。」《宋元學案補遺》卷五十三、〈止齋學案補遺・止齋門人〉「補文懿蔡先生幼學」條「附錄」載：「初止齋聲價喧踔，老舊莫敢齒列。公稚甚，獨相與雁行立比。三年，芮國瑞、呂伯恭連選拔，輒出止齋右，皆謂文過其師矣！」均可參證。止齋，陳傅良號。

止安齋集十八卷

《止安齋集》十八卷，太府寺丞三山陳振震亨撰。

廣棪案：《宋志》未著錄此書。振，《宋史》無傳。《宋人傳記資料索引》載：「陳振，字震亨，晚自號止安居士，福州人，襄之後。父遵出贅李衡女，因家崑山。振性至孝，以祿不逮養，刻木爲親像，每飯必祭。急義樂善，好汲引後進。爲文簡健高雅，無宋季陋習。登紹熙進士，官至太府寺丞，知永、瑞二州，致仕卒。有《文集》五十卷。」足供參證。惟所著錄《文集》之卷數較《解題》爲多。

西山集五十六卷

《西山集》五十六卷，參政浦城真德秀希元撰。

廣校案：《宋史藝文志補·集部·別集類》著錄：「真德秀《西山文集》
五十五卷。」所著錄卷數略異。德秀字景元，後更希元，建之浦城人。
理宗時拜參知政事。《宋史》卷四百三十七、〈列傳〉第一百九十六、〈儒
林〉七有傳。其〈傳〉謂：「所著《西山甲乙藁》、《對越甲乙集》、《經筵
講義》、《端平廟議》、《翰林詞草四六》、《獻忠集》、《江東救荒錄》、《清
源雜志》、《星沙集志》。」其《西山甲乙稿》，應即此書。

平齋集三十二卷

《平齋集》三十二卷，翰林學士於潛洪咨夔舜俞撰。

廣校案：《宋志》未著錄此書。咨夔字舜俞，於潛人。理宗時拜翰林學士。
《宋史》卷四百六〈列傳〉第一百六十五有傳。《四庫全書總目》卷一百
六十二、〈集部〉十五、〈別集類〉十五著錄：「《平齋文集》三十二卷，編
修汪如藻家藏本。宋洪咨夔撰。咨夔有《春秋傳》，已著錄。是《集》經筵
進講及制誥之文居多，詩歌雜著僅十之三。咨夔官御史時，忠言讜論，
力陳時弊，略見於《宋史》本傳。而《集》中不錄其奏疏，或避人焚草
之意歟？考史稱咨夔為嘉定二年進士。而厲鶚《宋詩紀事》據《咸淳臨
安志》謂嘉定無二年牓，因斷為元年。今考《集》中〈題陶崇詩〉卷云：
『某與宗山同壬戌進士。』案嘉定以戊辰改元，其年為己巳。若壬戌則
實嘉泰二年。史特誤『泰』為『定』，鶚未詳考，而以咨夔為嘉定元年進
士，非也。又謝枋得《疊山集》末附錄〈贈行〉諸詩，有洪平齋七律一
首。核其時代，與咨夔殊不相及。《宋詩紀事》別出『洪平齋』一條，不
以入咨夔條下，是則考之為審矣。」可參證。

退庵集十五卷

《退庵集》十五卷，提轄文思院龍泉陳炳撰。

廣校案：《宋志》未著錄此書。炳，《宋史》無傳。《淳熙三山志》卷三十、
〈人物類〉五、〈科名〉載：「乾道八年壬辰黃定榜。陳炳，禾之子，字宜

之，終朝請郎，提轄文思院。乃擢自戶部侍郎，除顯謨閣待制，出帥鄉邦也。」可參證。

梅軒集十二卷

《梅軒集》十二卷，奉化丞山陰諸葛興仁叟撰。

廣棪案：《宋志》未著錄此書。興，《宋史》無傳。《宋詩紀事》卷六十一「諸葛興」條載：「興字仁叟，會稽人。嘉定元年進士。爲彭澤、奉化兩丞。嘗作〈會稽九頌〉，有《梅軒集》。」可參證。

遯思遺藁六卷、事監韻語三卷

《遯思遺藁》六卷、《事監韻語》三卷，永康呂皓子陽撰。「遯思」，其庵名，後溪劉光祖德修爲作〈記〉。當淳熙中投匭救父兄之難，朝奏上，夕報「可」，一時非辜，盡得清脫。其書辭甚偉，然非孝廟聖明，安能照覆盆之下哉？

廣棪案：《宋志》未著錄此書。皓，或作浩，《宋史》無傳。《宋元學案補遺》卷七十九、〈邱劉諸儒學案補遺·林氏門人〉「文學呂雲溪先生皓」條載：「呂皓字子陽，永康人也。其兄約，爲龍川門人三傑之一。先生少師林大中，友龍川、東萊，以出粟賑濟，受知于倉使朱文公，薦諸朝。補郡文學。淳熙中，舉上禮部。會父兄爲仇家誣陷，逮繫大理獄。先生叩匭上書，理其冤，願納官贖罪。且言：『無使聖世男子，不及漢一女子緹縈，爲歿身憾。』翌日，下都堂議。宰相白無例。帝曰：『此義事也，焉用例。』由是其父兄與連坐五十餘人皆得釋。遂絕意仕進，隱居桃巖山講學。父母繼歿，茹蔬廬墓以終喪。割上腴，置義莊，以贍族人；義塾以教子弟。別爲小廩貯粟，以收鄰里之棄兒。當路以遺逸、孝友交薦于朝，皆不起。作〈雲溪逸叟傳〉以見志。《金華徵獻略》。梓材謹案：『先生名，《黃文獻集》作浩，迪功郎師愈之仲子，仇家搆飛語，中其兄約，而連及迪功父子。同時與龍川俱下天獄云。』」《南宋文範作者考》下載：「呂皓字子陽，永康人。學於林大中，以出粟賑濟，爲朱子所薦，補郡文學。父兄爲仇家誣搆，逮繫大理，皓叩匭上書鳴冤。孝宗特釋之。再試禮部不第，遂隱居。郡守交薦，皆不起。有《遯思遺稿》、《事監韻語》今佚。」均可參

證。至劉光祖，字德修，簡州陽安人。《宋史》卷三百九十七、〈列傳〉
第一百五十六有傳。其〈傳〉末曰：「趙汝愚稱光祖論諫激烈似蘇軾，
懇惻似范祖禹，世以爲名言。所著《後溪集》十卷。」故《解題》稱「後
溪劉光祖」。《宋史》傳末史臣論曰：「劉光祖盛名與〈涪州學記〉並傳
穹壤，世之人何憚而不爲君子也！」可悉其爲人梗概。光祖所撰〈遁思
庵記〉，恐佚。

劉汝一進卷十卷

《劉汝一進卷》十卷，諫議大夫吳興劉度汝一撰。

廣棪案：《宋志》未著錄此書。度字汝一，長興人。孝宗即位，陳《春秋》
正始之道，自宗正擢諫議大夫。《宋史翼》卷十三、〈列傳〉第十三有傳。

度嘗應大科，此其所業也。策曰《傳言》、論曰《鑑古》，各二十五篇。

案：《宋史翼》度本傳載：「劉度字汝一，長興人。自爲布衣，修潔博習，
葉夢得、汪藻皆以賢良方正薦。周益公〈劉諫議集序〉。紹興十五年進士。談鑰
《吳興志》。除從事郎、楚州州學教授。」是度應大科，應爲紹興十五年。其
〈傳〉又載：「有《傳言》、《鑑古》五十篇，《雜文》三十卷，藏於家。談
《志》引《舊編》。」可參證。

唯室兩漢論一卷

《唯室兩漢論》一卷，吳郡陳長方齊之撰。紹興八年進士。

廣棪案：《宋史》卷二百三、〈志〉第一百五十六、〈藝文〉二、〈史鈔類〉
著錄：「《唯室先生兩漢論》一卷，陳長方。」是此書應屬史鈔類，直齋誤置
別集類。考《宋史藝文志補・集部・別集類》著錄：「陳長方《唯室文集》
十四卷，今四卷，《附錄》一卷。」直齋未見《文集》。長方字齊之，福建閩縣
人，紹興八年擢進士。《宋史翼》卷二十三、〈列傳〉第二十三、〈儒林〉
一有傳。其〈傳〉載：「陳長方字齊之，福建閩縣人。父佖。長方少孤，奉
母客吳中，依外祖太僕寺卿林旦以居，杜門勵學，家貧不能置書，借鈔至
數千卷。聞著作王蘋得程顥兄弟之傳，遂以父佖遺訓爲請，蘋器重之。一
日讀《論語》，至『參乎！吾道一以貫之。』喟然歎曰：『《六經》之書，淵
深浩博，無踰此一言矣。』因榜所居曰『唯室』。」可參證。長方，張泉《吳

中人物志》卷六亦有傳，蓋以其「奉母客吳中」，故《解題》亦誤以爲吳郡人。

鼎論三卷、時議一卷

《鼎論》三卷、《時議》一卷，三山何萬一之撰。隆興元年進士。仕爲都司，知漳州。

> 廣棪案：《宋志》未著錄此書。萬，《宋史》無傳。《解題》卷一、〈易類〉著錄：「《易辨》三卷、《淵源錄》三卷，右司郎中三山何萬一之撰。其爲《辨》三十三篇，大抵多與先儒異。《淵源錄》者，蓋其爲《易》解未成書，僅有〈乾〉、〈坤〉二卦而已。萬，癸未進士高第，受知阜陵，官至右司郎中，知漳州以沒。」同書卷五、〈雜史類〉著錄：「《長樂財賦志》十六卷，知漳州長樂何萬一之撰。往在鄞學，訪同官薛師雍子然，几案間有書一編，大略述三山一郡財計，而累朝詔令申明沿革甚詳。其書雖爲一郡設，於天下實相通。問所從得，薛曰：『外舅陳止齋修《圖經》，欲以爲〈財賦〉一門，後緣卷帙多，不果入。』因借錄之，書無標目，以意命之曰《三山財計本末》。及來莆田，爲鄭寅子敬道之，鄭曰：『家有何一之《長樂財賦志》，豈此耶？』復借觀之，良是。其間亦微有增損，末又有《安撫司》一卷。併鈔錄附益爲全書。」《宋人傳記資料索引》載：「何萬字一之，長樂人。治《易》兼詩賦，隆興元年木待問榜進士。歷秘書郎、著作佐郎、著作郎。淳熙四年六月罷。」均可資參證。癸未爲孝宗隆興元年（1174）。三山，即長樂。

治述十卷

《治述》十卷，從政郎鄭湜紹熙元年撰進。按：丙戌榜有三山鄭湜溥之，是年已爲祕書郎，面對劄子，剴切通練，于今傳誦。此當別是一鄭湜耶？

> 廣棪案：《文獻通考》闕「一」字。

> 廣棪案：《宋志》未著錄此書。鄭湜，南宋時有二人，《宋史》均無傳。《宋元學案》卷九十七、〈慶元黨案・慶元黨禁〉「文肅鄭補之先生湜」條載：「鄭湜，字溥之，福州人。光宗即位，爲祕書郎。因轉對，首乞盡事親之道，以全帝王之大孝。慶元初，權直學士院。時趙忠定汝愚罷

相，去知福州，先生草制，坐無貶辭免。參《姓譜》。謝山〈答臨川論慶
元黨籍鄭湜帖〉曰：『昨問慶元黨籍之第七人鄭湜，《宋史》無傳。愚攷
《福建通志》，湜，字溥之，一字補之。閩縣人也。乾道中，成進士。光
宗時，官祕書郎，所陳皆讜論。慶元初，以起居郎權直學士院。趙忠定
公罷相，湜草制，有持危定傾、任忠竭節語，韓侂胄以其爲褒詞，大怒，
出知本州。後爲刑部侍郎，隸名黨籍。卒，諡文肅。』此即《解題》
所云之「三山鄭湜溥之」。丙戌榜，指孝宗乾道二年中進士。《宋元學案
補遺》卷九十七、〈慶元黨案補遺・慶元黨禁〉「補文肅鄭補之先生湜」
條載：「梓材謹案：先生于光宗初爲祕書郎。時又有鄭湜，字里未詳。
光宗紹熙元年官從政郎，進《治術》十卷，爲十先生奧論之一。《辟疆
園宋文選》載其〈君體論〉一篇，秀水莊氏《南宋文範》錄其〈國體論〉
三篇。」是撰《治述》之鄭湜，當別是一人。《治述》，或作《治術》，
未知孰是。

廬山雜著一卷

《廬山雜著》一卷，知南康軍錢聞詩撰。

　　廣按案：《宋史》卷二百八、〈志〉第一百六十一、〈藝文〉七、〈別集類〉
　　著錄：「《錢聞詩文集》二十八卷，又《廬山雜著》三卷。」聞詩，《宋
　　史》無傳。《宋元學案補遺》卷四十九、〈晦翁學案補遺下・晦翁私淑〉
　　「知軍錢先生聞詩」條載：「錢聞詩字子言，吳都人。淳熙辛丑代文公
　　知南康軍，有興建之功。」《宋詩紀事》卷五十六「錢聞詩」條載：「聞
　　詩字子言，成都人。淳熙中知南康軍。有《廬山雜著》。」足資考證。
　　辛丑爲孝宗淳熙八年（1181）。文公即朱熹。惟聞詩之籍貫，一作吳都，
　　一作成都，未知孰是。

閑靜治本論五卷、將論五卷

《閑靜治本論》五卷、《將論》五卷，知樞密院廣陵張巖肖翁撰。

　　廣按案：《宋志》未著錄此書。巖字肖翁，大梁人，徙家揚州，紹興末
　　渡江，居湖州。開禧二年（1206），知樞密院。《宋史》卷三百九十六、

〈列傳〉第一百五十五有傳。《宋元學案補遺》卷九十七、《慶元學案補遺·附攻慶元道學者》「補參政張閔靜巖」條載:「張巖字□□,號閔靜老人,官至參知政事。附錄:魏鶴山序《閔靜老人文集》曰:『盡閔公之出處,蓋自早歲于趙忠定公、朱文公,咸知師慕。其策進士也,孜孜于《中庸》之書;其贈陳膚仲,亦眷眷于伊洛之學。始自植立蓋若此,而卒不能盡如其志也。』」一作閑靜,一作閔靜,未知孰是。今考《鶴山大全集》卷五十三有〈閔靜老人文集序〉,疑作閔靜為是。

閨秀集二卷

《閨秀集》二卷,建安徐氏撰。徐林繹山之從姑,祥符敕頭。_{館臣案:}唐時舉宏詞第一謂之敕頭,原本「敕」訛作「初」,又脫去「頭」字,今據《文獻通考》改正。奭之姪孫女,嫁括蒼祝璣,璣為部使者。有子曰永之,嘗知滁州。

廣棪案:《吳中人物志》卷八載:「祝璣妻,侍郎徐稚山妹。敏慧能詩,而賦尤工。其詩清平沖淡,蕭然出塵,自成一家。有《閨秀集》二卷。」可參證。《吳中人物志》謂徐氏為稚山妹,其夫名「璣」,與《解題》不同。考徐林,《宋人傳記資料索引》載:「徐林字稚山,一作繹山,自號硯山居士,吳縣人,師回孫。少有特操,登宣和三年進士,與王黼有連,不肯附麗。紹興初上書言事,召對改官,累官至龍圖閣直學士。生平慕鄭樵,每聞其言論,必手錄之。卒年八十餘。」徐奭,《宋人傳記資料索引》載:「徐奭(?~1030),字武卿,甌寧人。大中祥符五年舉進士第一。試〈鑄鼎象物賦〉,為時所重。天聖初為兩浙轉運使,蘇州多水患,奭築石隄,架橋梁,民樂其便,詔書褒美。天聖八年四月召知開封府,九月暴卒。」至祝璣與祝永之,《宋史》均無傳,事蹟無可考。